もしわたしが「株式会社流山市」の人事部長だったら

手塚純子

木楽舎
KIRAKUSHA

使われていなかった、駅舎旧タクシー車庫（現machimin1）

machimin1　内向き駅トイレが、外向き観光トイレに進化

①流鉄ギャラリー
流鉄を愛する大学生さんが制作。基礎情報、停車駅、歴代車両図鑑も。車両図鑑は現物をリアルに再現するため、1つずつ色鉛筆で手塗り。妥協なし!

②黒電話
多世代で盛り上がるきっかけとして設置。大人は懐かしい!と、子どもは不思議な顔で手に取る。「電話だよ」と教えると受話器を指でスワイプするというシュール事案が発生する。

③電車の模型
流鉄開業100周年記念で製作された模型。なんと動く。

④牛乳パックの運転手帽子
子どもサイズの小さな運転手帽子。かぶって、店頭のフォトフレームで記念写真を撮るのがオススメ。1年以上使っているのに壊れないので、子どもたちが優しく扱ってくれていることが分かる。

⑤観光用トイレ(流鉄)
流山駅構内にあった昭和な男女共用トイレを、まちに開いた観光用トイレとして2019年3月にリニューアルオープン。オムツ替えシート、ベビーシート完備の平和なトイレで令和を乗り切る。トイレのマークにもこだわりが!

共用だけりゅうのしんにしないというこだわり。

⑥約100mの流鉄壁画(流鉄)
英国のクレア・ウォーレスさんが流山にホームステイし、みりんを使った食事やまち歩き、コミュニケーションを通じて得たインスピレーションを活かし、流山の過去・現在を記録し未来に思いを馳せる"流れるような絵巻物"というコンセプトでデザイン、2019年10月〜12月で制作。元は赤錆トタン壁。

⑦菓子製造工房
白みりん発祥地の流山ならではの"みりんを使ったお菓子を作ってみたい"という市民に開放し、みりん含有率51%以上にこだわった商品を製造。オーブン等の機材は家庭用のものしかないのに、みりんおみやげ1500セット制作の実績あり。ガッツありすぎ。

⑧着物カバーの座布団
いただいた座布団を、いただいた着物でカバーを作りくるんだもの。これを見たシニアの方がこれもぜひ活用して!と着物を下さり、なんと1年で150着収集。ミシンや手縫いでの廃材リメイクの材料に活用。

⑨みりんおみやげ、物販ブース
隣接の工房で作ったみりんのお菓子を販売。廃材リメイク雑貨や流鉄に関する本も。

⑩けん玉、ベーゴマ
多世代みんなでワイワイ遊べるよう設置。小学生がシニアからベーゴマを習って対戦したり、けん玉の猛者が来店して技を披露してくれたり。小さい子はけん玉の玉をひきずりお散歩する。

⑪糸かけアート
オープン1ヶ月記念に、来訪者の方が1人1本糸をかけ、みんなで制作。道行く人の目を惹きつけるアート作品。

⑫ふすまフォトフレーム
廃材のふすまで制作。流鉄の顔のデザイン。店内にある牛乳パックの運転手帽子をかぶって撮ると、より絵になる。

⑬七宝まり
オープン時に作家さんより"人の輪がうまくいきますように"といただいたまり。外から見えるように壁に飾ったところ、特に女性の方が興味を持って入ってきて下さるように!

⑭ミシン
着物などで小物を作る際に使用。

⑮図書館
寄付の本を並べ、店内での読書や希望者には貸し出しも。次回来訪時に、覚えていたら返却してもらうゆる〜いシステムで運用中。

⑯縁側
"おばあちゃん家の縁側"をコンセプトに小上がりを設置。シニアや若い方、海外の方も、懐かしさ・日本らしさを感じるコンテンツとして楽しんでいる。

⑰コタツ
冬を乗り切る必須アイテム。おしゃべりの場、打ち合わせの場として使用。"コタツ初めて!"という子どもがもぐっていることも。「出られなくなるから家には置かない!」という方ももれなく吸い込む包容力。

⑱キャップ玉
ペットボトルと不要な毛糸、つまり"廃材"で作った飾り。すだれのイメージで玉をつなげて飾ったり、単体でピアスやブローチなどのアクセサリーにも。

⑲屋根
採光のため、トタンに穴を開けてある。Wa Creationらしく"輪"に!夏は容赦ない暑さをもたらすスパルタな屋根。

⑳窓
半円の窓からは流鉄が見える。洗車や点検などのレアな風景も楽しめ、電車好きの親子や鉄道ファンがこぞって集まる。窓の外は流山駅のホームと地続き。店内から運転手さんや乗客とあいさつが交わせる。

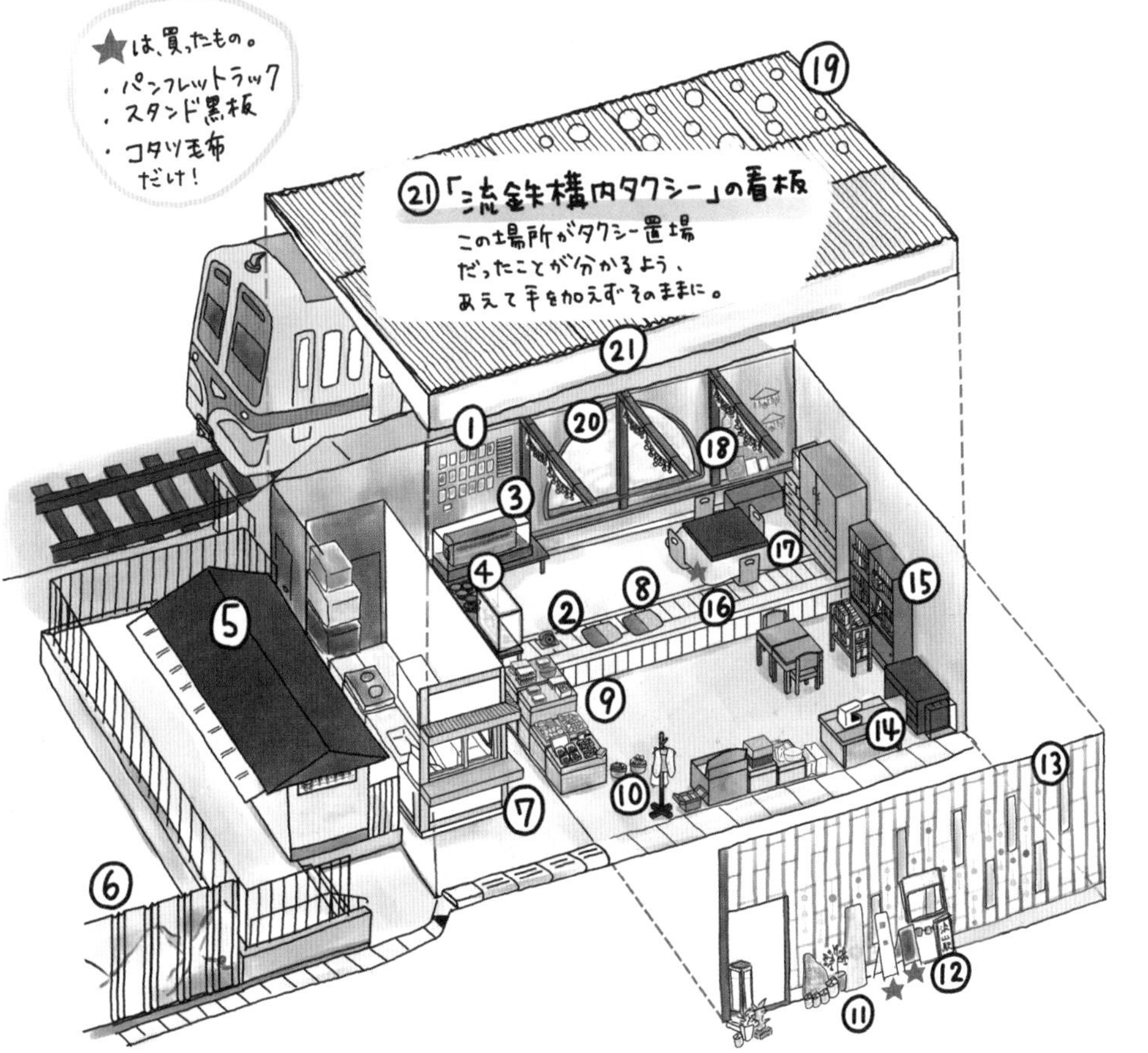
★は、買ったもの。
・パンフレットラック
・スタンド黒板
・コタツ毛布
だけ！
㉑「流鉄構内タクシー」の看板
この場所がタクシー置場
だったことが分かるよう、
あえて手を加えずそのままに。

土間にゴザを引いて、楽器持ち込みコンサート

各自好きに使いこなし、隣にも興味をもつ場

各人がやりたいことをやる、こたつ作戦会議

切り絵作家と市民ら16名で合同制作、巨大切り絵花火

算数の魔法で遊ぶ、糸かけ数楽アート

参加型のコミュニティアート、約100メートルの赤錆トタン壁を壁画に

廃材を活用した作品作りの1つ、ハギレで作るつるし雛

砂糖不使用!みりんマシュマロとみりんキャラメル

市内の様々なイベントにて、毎月ペースでみりんのお菓子を販売

空き家をリノベーション、子ども食堂にもなるmachimin2立ち上げ

稲刈り後の田んぼを公園にし、遊び方を開発するmachimin3

長野県飯綱町で小学生らとりんごオーナーに。

CONTENTS

CHAPTER 2
machiminという"場"はどのように育ったか 073

CHAPTER 3

machiminには なぜ人が集まるのか

CHAPTER 4
machiminをアップサイクルさせる仕掛けをつくる

CHAPTER 5
machiminが多拠点に進化・発展する

CHAPTER 6

CROSSTALK

流山市長（本物）×「株式会社流山市」の人事部長（自称）

はじめに（machiminの概要）
―まちが1つの企業だとしたら？―

こんにちは。千葉県流山市でコミュニティスペース兼観光案内所「machimin」を運営している手塚純子といいます。

この本を手に取ってくださって、ありがとうございます。嬉しいです。㈱木楽舎の中野亮太さんから出版のお話をいただいたとき、「私の本なんか、誰が読むんだろう？　労力を割いて時間をかけて作って反応がなかったら、出版社に迷惑をかけるので不安だ…」とつぶれそうでした。それをそのまま中野さんに伝えたら、「本というのは著者だけで作るものではありません。著者のほかに、編集者・ライター・デザイナー・営業、もっとたくさんの人が関係して、みんなで作るものなんですよ」と教えてもらい、なんて失礼なことを言ってしまったんだ、と瞬時に後悔しました。

「コミュニティをつくりたい、自分たちのまちで何か役に立ちたいと思っている人が手に取って、〝私にもできるかもしれない〟と行動に移しやすくなる本にしたい」というご提

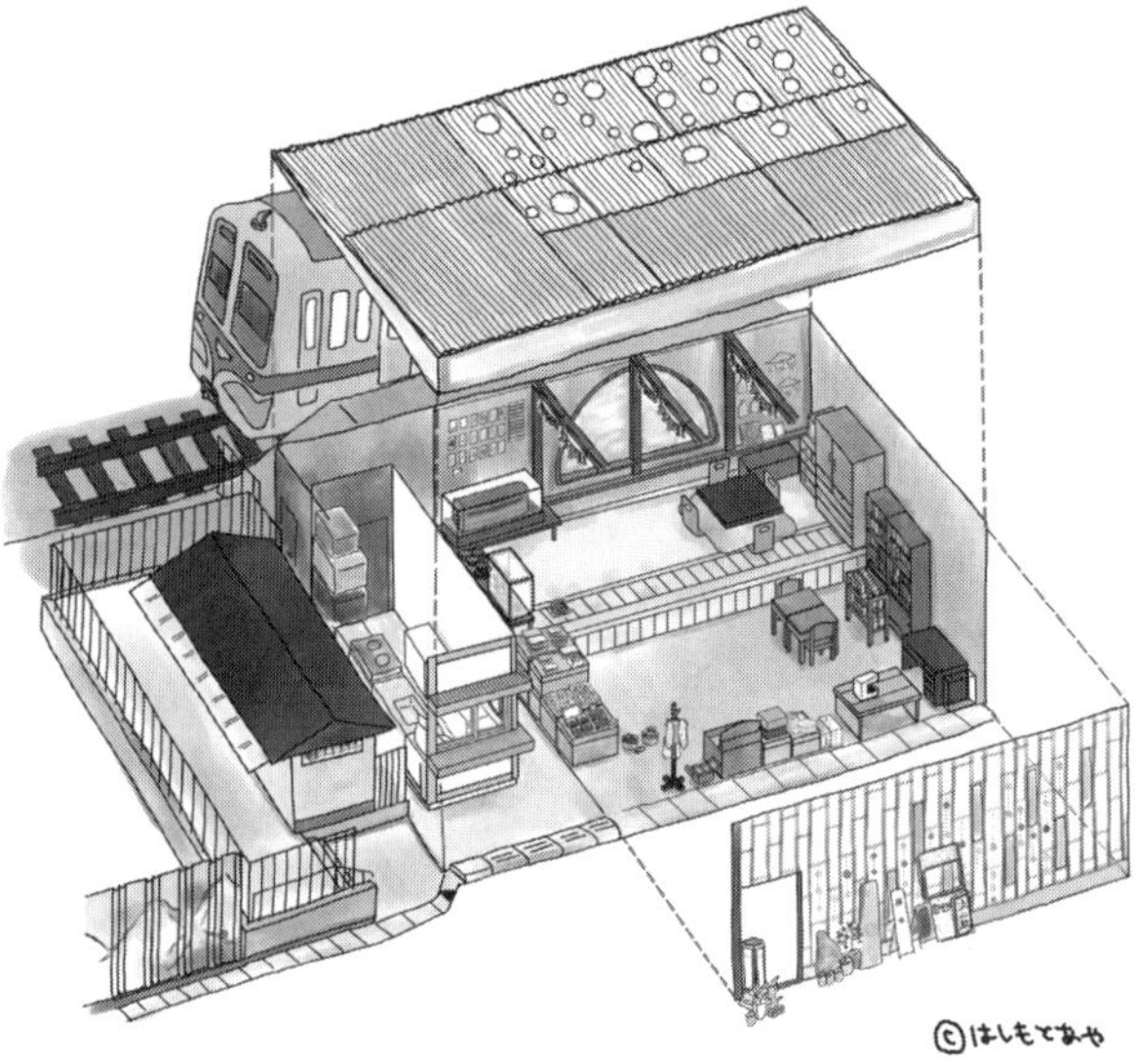

店頭で配布している machimin パンフレットのイラスト。2019 年 4 月制作。

案に大変共感し、誰かの一助になれるなら、一緒にやろうと仲間になってくれる人がいるなら、期待してくれる人がいるなら、やってみようということで今に至ります。

みなさんは、まちのコミュニティスペースを利用することはありますか？　またはコミュニティスペースを作りたいと思っていますか？　そもそもコミュニティって何だろうと思ってこの本をめくっている方もいるかもしれませんね。

近年は、商店街にかわって大型のショッピングモールが地域社会の生活を支えるようになったうえに、通販サイトも充実し、コンビニでも無人レジが増えるなど、買い物をするだけなら以前ほど人と会話をする必要もなくなりました。少子化や核家族化で、交流する機会そのものも減っています。その結果、公園や公民館、商店、カフェなどの地域社会で人が集まる場所は、生活に必要な用事を済ませるために行くというよりも、誰かと会って話すための〝居場所〟、つながりを感じられる場所という役割を求められるようになりました。たとえ、自習や仕事を終わらせるためにカフェを利用するとしても、ときには友人や家族、知人と集まるための場所にしていたり、店員さんとなにげないやりとりをすることが密かな楽しみ・息抜きになっているという人もいるのではないでしょうか。

以前なら、そうした場所を営利目的の企業や自治体にまかせて運営すれば足りていました。近年はＮＰＯなどの団体が〝コミュニティスペース〟と解釈して、地域住民の生活の質の向上や観光客誘致のために非営利目的で立ち上げることが増えています。

machiminもまた、観光案内を１つの機能とするコミュニティスペースです。

１９１６年の創立以来１００年を超えて営業を続ける流鉄流山線の流山駅舎にある旧タクシー車庫（空きスペース）を改装して２０１８年４月、開業しました。それ以来、「まち（ｍａｃｈｉ）をみんな（ｍｉｎ）でつくる」という想いとともに週７日、つまり毎日10～16時に場をひらいてお客さんをお迎えし、他にも年間１００を超える大小さまざまな企画やイベントを行ってきました。

ただし、machiminには他のコミュニティスペースにはあまり見られない特徴がいくつもあります。

最も大きな特徴は、世代や性別、職業や学生などの所属、居住歴などを問わず多様な人が集まっていることでしょう。普段は都内で働く父親が育休の時間で地域に興味を持ってくれたり、専業主婦の母親が子どもが幼稚園に行っている時間だけ来てくれたり、小学生が手伝ってくれたりすることもありましたし、定年退職後の方が自身の活動をしながらコラボレーションを進めてくださることもありました。店頭やイベント時に現地に来るだけではなく、それぞれの自宅などで、サイトを立ち上げる、商品試作をする、事業戦略を考える、企画の運営準備をする、調べ物をする、記事を書く、農地の世話をする、などなど多様な方法でmachiminに参加くださっています。

店頭では、流山の本みりんを活用してmachiminのキッチンでオリジナル洋菓子を開発・販売している「本みりん研究所」の他に、手作りの缶バッジの製作・販売、流山在住の切り絵作家さんの作品の展示・販売なども行っています。イベント企画では、着物を仕立て直してワンピースに・廃材を雑貨に変える「廃材アップサイクルラボ」、算数を活用しアート作品やおもちゃを作り学びを楽しむ「あそびとくらすラボ」、米や野菜を育てて、収穫した後はその土地を公園として育てていく「こめとやさいとくらすラボ」、自分の視点で名所を見つけたり、名所を作っていったりする「Ryutetsu Area walking lab.」などを、数日ごとに交替で行っています。そのため、店番をするスタッフも訪れるお客さんも毎日入れ替わります。地域社会に根付いたスペースとして開放していますが、似た者同士が集まるたまり場にはならない、人の流動性が高い場所なのです。

もうひとつ挙げられるのは、出入りをする人の流動性が高いのでスタッフやお客さんにとっては〝居場所〟ではないということです。さきほど、「コミュニティスペースは誰かと会って話すための〝居場所〟である」と言ったことと矛盾しますが、だからこそこれからmachiminのことを紹介する理由にもつながっています。

よく見られるのが、相続対策や空き家問題の解消をかねてコミュニティスペースを立ち上げることや、住み慣れた土地のまちづくりの担い手となって人口減少や過疎化の進む地域の復興を支えようとする流れです。地域社会の課題解決の現場の情報を発信しているstudio-L代表のコミュニティデザイナー・山崎亮さんの活動で知っているという方もいるかもしれません。とても尊敬しています。

machiminもそうした流れのなかにあるのですが、「まちをつくる」ことよりも「みんなでつくる」ことを重要だと思っています。そして、「みんなでつくる」ために1人ひとりがやりたいこと、〝好き〟や〝得意〟を活かして成長できる〝場〟を目指しています。

まだ、「一体、machiminって何?」という疑問に対する答えには足りていないと思います。話を続けるために、一旦machimin誕生のきっかけを生み出した流山市の市政について簡単に説明をさせてください。

東京の通勤圏でベッドタウンである流山市でも居住人口の高齢化や人口減少にともない、市政にも経営的視点の導入が必要という意識から、2004年に全国的にみても地方自治体としては珍しい「マーケティング課」を新設しています。住宅都市である市の目標を定住人口の誘致に設定し、観光資源があまりない土地柄のため「ヒト」を資源とした施策を行う自治体と定義してターゲットを絞ります。特に、高い確率で定住を期待できる市外在住のDEWKsと呼ばれる30～40代の共働き子育て世代に向けて、ポスターの掲示やWebサイトの設置を実施することで複数ある候補地の中から選択してもらうためにシティプロモーションを活発化させました。

市を挙げてのPR活動は功を奏し、流山市内にはたくさんの子育て世代が転入しました。そうした中で目立ってきたのは育休中の時間の使い方を模索している母親たちの姿でした。

仕事やプライベートな時間に培ってきたスキルはあっても、育休中のボランティアやその延長で行う地域活動には副業としてできる仕事はほぼなかったり、職場復帰しても子育てのために時短勤務をしていることで同僚に申し訳ない気持ちになってしまったり、同時に家庭でももっと自分が頑張らないといけないと満足感が得られなかったり、というケースが少なくありません。本当は少子高齢化で労働人口は不足しているはずなのに、社会の制度や企業の実態がライフステージの変化に追いつかないために、個人の持つスキルと企業が求める人材のミスマッチが止まらない状況です。

machiminでは、ゆるやかに人が集まり交流するコミュニティスペースの体裁をとりながらも、市が誘致したまちを構成する人や地元の人を活かすことを事業の目的に設定しています。それはまちのために働け、まちをよくするために生きろ、というのとは異なります。人がよりよくまちで生きていくためにこそ、人が活きている状態をつくっていくことを大切にしたいのです。つまり「働き方改革ならぬ、暮らし方改革」です。だからこそ、個人の能力を磨いて伸ばし換金することよりも、まずは自分が楽しいと感じることを軸に、それをまちのためになるように工夫し、まちに公開し、知ってもらって、交流すれば、「能力が磨かれて換金され自立が進む」、そして結果的に、「個人が自立すればまちの自治に進む」はずだとイメージしています。趣味のイラスト、昔やっていたお菓子作り、仕事でしていたサイト作り、学校で学んだ裁縫、興味があった社会福祉、ライフワークの散歩、あらゆる資質や知識を「まちの人的資源」として活用することになります。個人の〝好き〟や〝得意〟を軸に展開させて、商品の製造販売・イベントの開催に関わる体験を通じて経済活動のなかで収益を出せるようになることが、初期の段階のゴールです。

まちを株式会社に見立てていますが、大きな違いとしてそこには雇用関係がなく、金銭的な報酬がありません。では、machiminの活動を始めるにあたって、なにで「ヒト」をモチベートしていくのか。「自分が〝好き〟だったり〝得意〟なことでないと続かない、続けられない」金銭以上の価値がある「その人にとっての本当の報酬」をよく考えることにこだわりました。

machiminを運営する経営母体は、私が代表を務める㈱WaCreationです。

管理・運営の目的は非営利ですが、株式会社なので営利事業と位置付けています。よく、「どうしてNPO法人ではないのか?」と人に聞かれます。他には、地方自治体の委嘱を受けて一定期間活動する「地域おこし協力隊」の活動内容と比較されることもあります。machiminおよび㈱WaCreationの設立経緯は本書の第1章で詳しくお話ししますが、嘱託職員でもＮＰＯ法人でも個人事業主でもなく「株式会社」としてmachiminを運営することには意味があります。

私は起業する前に会社員として㈱リクルートに勤務し、人事にかかわる幅広い業務に携わっていました。雇用を創出しながら世に価値発揮し利益を生み、納税し多くの人の生活を守り、未来を創っていく…民間の大企業が持つ社会的影響力や役割の大きさは真に尊敬に値するものです。そうして経済成長をとげて今があるのですから。

一方で、そこには限界があることも見えてきました。経済活動には、家庭の事情や身体の状態、社会的な属性などの要素に基づくさまざまな参入障壁があります。そうした〝壁〟に直面するたびに経済活動における採用基準（学歴、年齢、資格などなど）やその条件を満たすことのできない人の存在を痛いほど感じてきました。また、世の中が作った流れにのり、世の中の評価を得るために自分の人生を過ごす人を多く見ましたし、そうでないと「自分はダメなんだ」と感じなければいけない空気に疑問を持ちました。

日本の社会には、まだまだ「経済活動に従事している人の方がえらい」という価値観や風潮が根付いています。そうした中で、子どもや退職したシニア、専業主婦、障がいがある人、社会とつながりを持ちにくい人たちが挑戦しがいのある活動に継続して携わるには、非営利目的でも事業性を持たせて金銭を獲得できる仕組みにこだわる必要を感じるのです。仕事を与えられなくとも、仕事は作れます。作ればいいのです。自分の〝好き〟や〝得意〟を軸に強みが換金されていくはずだ、世の中にある流れは変えられるのではないかという仮説を検証したいと思いました。

コミュニティスペースだけどmachiminが〝居場所〟ではないというのは、成長した「ヒト」がmachiminからいつか卒業することが、machiminという仕組みの中にあらかじめ組み込まれているからです。出口を用意するのです。金銭を得た経験が市場経済のなかでも交換価値を持つことで、個人の〝好き〟や〝得意〟を発展させるきっかけとなったmachiminという〝場〟に依存しなくても、独立・自立した個人となり、まちに輩出され、まだ見ぬ誰かのロールモデルになって、まちに多様性が保たれていくこと、そしてまちがよくなっていくことを目指しています。

私がmachiminを開業するよりもずっと前、まちの中を老若男女が静かに行き交う姿を見て「もしも流山市が1つの企業だったら?」「人事部長という存在がいたらどうなる?」と想定して1人カフェの席について黙々と筆を走らせたことから全てが動き出しました。

本書を執筆する間にも世の中は大きな変化を始め、コミュニティスペースを基盤にするmachiminが、オンラインでできること、オンラインでは代えられないこと、オンラインでできるけどやっぱりオフラインのほうが断然良いことなどをひしひしと感じ、コミュニティスペースの可能性について考えることができました。

自分の暮らすまち、暮らしたいまちであなたが何をするか。ひらめきやきっかけを生み出して「私にもできるかもしれない」と行動に移す一助になれれば幸いです。

まちをみんなでつくる。

あなたに会いたいです。

CHAPTER 1

流山市に移住。machiminをはじめるまで

ドラッカーと部活動人材育成にハマる

ところで、昔から「○○さんは、これができてすごいね！」と人に伝えると驚かれることが多くありました。その人のその能力が、今いるフィールドで活用されているかどうかではなく、どこと組み合わせたらもっと活用できるのか、その人自身が気づいていない強みや可能性を見つけることができました。すべての人は必ず何かを持っているという前提に立って、いろんな角度から見ることができることは、私自身の〝得意〟なことだと誇りを持っています。

他者の良いところはわかるけど、自分のことはわからないもので、誰かが私に興味を持ってくれても「本当？　社交辞令じゃないか？　本当だったとして、期待外れだったら申し訳ない」と思ってしまいます。「手塚さんって自分の価値わかってないよね」と言われます。（でも、そんな風に言っていただけるのはありがたいことです）

きっとみんな同じなのだと思います。外から見た自分のことは、自分が一番わかりません。他人からみて、他者との比較の中でその人の価値が浮き彫りになることがよくあります。

なぜ、私が人材育成にこだわるのか。振り返ると昔から、良くも悪くもお節介で困っている人をほうっておけないし、正義感が強く細かなことも見過ごせないし、でも本当の意味では誰も他者を助けられないからこそ、「その人自身が成長することで自分の道を自分で切り開ける」ということがとても大事だと思っていました。〝人の可能性をどこまで信じるか？〟の答えをずっと探していました。時には人と意見が違って衝突することもたっくさんありました。むしろ基本的に衝突する日々だったかも（笑）。

振り返れば、小学生のころ、障がいがある子、新参者である転校生に対していじめが行われることがありました。私の教室でいじめが起きて「なぜ、いじめが起こるんだろう」と考えると、「自分の意見をもっていて、それを自分の言葉で伝えられる子」が少ないことに気づきました。いじめっ子だけでなく、いじめっ子に追随する子、本当はやりたくないのに主犯格が怖くて流されている子…。いじめられている子がかわいそうという感情ではなく、その他の子たちと仲良くする気になれないから、私はいじめられている子と遊んでいました。

卒業式で、その子の母親に会いました。その子と一緒にいた私は、その子もお母さんもきっと喜んでくれている！と思っていました。「純子ちゃん、今まで、うちの息子と仲良くしてくれてありがとう」その後ろに続く彼女の言葉は、私にショックと悲しみを与えました。「あなたは健康で、優しく、友達が多い。きっとこの先彼氏ができて、たくさん勉強して、大学にも行き、好きな場所に出かけて、美味しいものを食べる。結婚して子どもを持ち親になるかもしれない。あなたには何でもできる。幸せになってほしい。でも、あなたを見るたびに、うちの息子にはその可能性がない、私がそばにいないといけない、それをひしひしと感じるから、あなたを見ることはつらかった」彼は複数の障がいがあったため、卒業後はみんなと同じ中学校には進学しませんでした。確かに、自分で言うのもアレですが、私は活動的で勉強もできる方でした。だからといって、それだけのことを根拠に、人生に希望が「ある」「ない」を本人でない誰かが決めつけていいとは思えませんでした。「あなたが、自分の子どもの未来の可能性を信じないんですか」今だったらそう言えますが、私は小学生でした。

なぜ、あの人はあんなことを言ったのか？　なぜそう決めつけるのか？　もしかして実際にそうなるのか？　「社会の構造がおかしいんじゃないか？」ショックと悲しみは、徐々に怒りに似た疑問に変わっていきます。この出来事は忘れられませんし、忘れません。私の原点の1つ目だと認識しています。

さて、人生とはおもしろいもので、私は再びその「難題」に向き合うことになります。成長するにつれて、世の中の色々なことに疑問を持ちました。なぜ「誰が食わせてるんだ！」という主従を伝える表現が生まれたのか、なぜ「働かせてもらってるだけでもありがたい」という卑下にも感じられる謙虚な姿勢が評価されているのか。それって建設的・発展的な関係になるのか、理解に苦しみました。なぜシニアのことを〝老害〟と呼んでしまうのか、害って？　誰が言い出したのか…など、疑問ばっかりでした。人間関係というものに興味を持っていた変わった子どもだったと思います（笑）。

疑問がある社会構造を変える力はない自覚があったので、高校に進学してからは学業や部活動に打ち込んでいるかたわら、少しでも理不尽によって困っている人の役に立てればと、ＮＰＯが主催しているボランティア活動を通して社会福祉にかかわりましたが、「本質的には何も変わらないということを受け入れろ」「あなたのやっていることは、自己満足で偽善的。自分のお金と時間を使って赤字を切って、自分のことをいい人にしたいだけの活動」と言われたことがありました。それに対して言いたいことはあっても、うまく反論できず、もしかしてそうなのかもしれないと混乱して気持ちがわからなくなってしまい、ボランティア活動はやめました。

神戸大学の経営学部に入学した私は、ある日女子アメフト部の見学に誘われたのでグラウンドに出てみると、隣で男子アメフト部が練習をしていたのでそちらの見学にも行きました。高校でも自分がハンドボールの選手だったので、男子アメフト部のマネージャーにならないかというお誘いは想像していないものでしたし、つまらないのではないかと思ってしまいました。その時、先輩マネージャーに「1人でできないことに挑戦できるよ」と言われ、確かに自分にはできないなというレベルで練習している男子選手の様子を見て、自分にとって新しいスポーツへのかかわり方にワクワクして入部しました。

そうはいっても、1年生のマネージャーなぞ、水汲みしか出番がありません。毎日毎日ただ雑務に追われて大学生らしい遊びをする時間はありませんでした。それなりに楽しいことはあったけど、満足はしていませんでした。でもやめたいとも言い出せませんでした。

しかし、3年生で入るゼミを選ぶときに「人的資源管理」という分野があることを知りました。経営学者のピーター・ドラッカーの本を読み、「もしかして部活でこれを実践しているのではないか？　マネージャーという存在はもっと可能性があるのではないか？」と感じ、学問と実践の両輪を回せるなんて最高だと、自分の専攻を決めました。

同じタイミングで、同学年の選手で活躍していた経済学部の畑中慎太郎さんが、大きな怪我をしてしまい選手を継続できなくなります。彼はエースだったので、チームのメンバーが弱気になっていましたし、本人が静かに泣いている姿を何度も見ました。彼はマネージャーに転向し、私たちは毎日一緒に活動するようになりました。

畑中さんはマネージャーになってすぐに、「今のマネージャーは雑務をする人たちだと思われている。マネージャーの仕事は組織をマネジメントして、チームを強くすることだと思う。マネージャーは選手と違い試合で点数が取れないと思うか？　選手と同様に点数をとれる人たちに変えたい。〝選手が点数をとれるように〟するんだ」と私たちに提案しました。何のことを言っているのか、多分あの場の全員が理解しきれなかったと思います。あきらめもありました。マネージャーは選手よりはっきりと下でした。椅子に座るのは選手でマネージャーは立つとか、マネージャーは試合後の整列にも参加できないとか。それを受け入れてしまっていました。

彼は全員と面談し、チームのために何をしたらいいと思うか聞きました。各自、その時担当業務が、「もうちょっと良くなる案」を考えはじめたと思います。

まず、取り組んだのは「イヤーブック」という年１回出している部活動を紹介する冊子についてです。広告枠を売るべく、近隣の商店街を一軒一軒訪問して、自分たちのチームの説明をし、夢を語りました。冊子がボリューミーになったのはもちろんでしたが、誰に読んでもらうものかを意識したので内容も変わっていきました。関係性ができた商店街のお店と地域活性のイベントを企画し、怪我をしていてプレーができない選手を集めてはグラウンドから出ていました。私たちもイベントに呼ばれ焼きそばを焼いたり、ヨーヨーで子どもたちと遊んだり、チームのグッズも少し販売したりしていました。自分たちが何をしているのか、当時はよくわからないままでしたが、明らかな変化として冊子に加えて試合のチケットが売れるようになり、観客席に人が入るようになりました。そしてチケットの利益は選手が食べるバナナやお米、トレーニング器具に変わりました。

私の責任分野はチームグッズ担当でしたが、引き継いだ時は「試合前に既存商品の必要数を発注し販売・在庫管理する仕事」と定義されていました。畑中さんの活動と連動するように、「グッズをなんとなく管理するのではなく、マーケティングを経て開発した商品を売ることでチームを強くする」という意識が生まれ、誰に・何が・なぜ売れるのかを分析しました。お客さんは「そのグッズを身につけてチームの一員になり、試合を楽しむために・参加するために買う」ということがわかったので、試合の観客席の一体感を出し応援がより楽しめて、その空気が選手に見えるようにしたいと、チームカラーや商品ラインナップをリニューアルしました。その際に、以前のチームカラー2種を大切にしていたOBの方たちとの難しい議論も超えて、「チームを勝たせていくため」という目的で合意形成する経験もしました。試合会場には来られないファンの方の1つの応援方法にしようと、学食とコラボしチームカラーの定食を作ってもらったり、グッズの一部を生協で販売したりもしました。商品は飛ぶように売れ、あまりの反響に、利益がどれだけ出たか計算する余裕はありませんでしたが、計算しなくても試合時の観客席を見ればすべてがわかりました。チームグッズ担当は、「応援する人すべてをチームの勝利に向かって1つにし、選手が点数を取りやすい環境をつくっていく仕事」と再定義されたことを覚えています。

畑中さんは他にも点数を取る可能性が高い人を入部させること（採用）に力を入れていました。アメフトは日本においてマイナースポーツなので高校での経験者は非常に少なく、好条件をだして優秀な選手を入学させている私立への対抗策は一切ありませんでした。私たちは国立で、スポーツ推薦や学費免除はありませんでした。アメフトをやるために神戸大学に入学した人はおらず、バスケ・サッカー・水泳・陸上など、アメフトをやったことがない人たちにルールを教えるところから始めていました。入学時点ですでに差が開いていて、さらに選手としてトレーニングできる環境も全く違います。授業で練習に参加できないこともあります。高校でのアメフト経験者に「好条件をくれる私立を蹴って、自分で勉強して入学してもらう」ということを必死に考えた結果、怪我をしている選手とマネージャーを連れて、アメフト部がある高校に出向いてはプレーの相談に乗り、勉強を教えて、「強いチームに入るより、弱いチームを君自身が強くするほうがかっこいい」ということを何度も説くことにしました（笑）。説いて説いて説いて、一番有名だった選手を口説き落とし入学させたときは業界がどよめいていました。「畑中さんがいるから入部した」という彼が入学後すぐの試合でいきなりスターターになりどんどん点を取る様を見て、みんなようやく理解しました。「マネージャーは点数が取れる」ということに本気になりました。そこから、各自の活動のレベルが一気に上がっていったのは言うまでもありません。

当時、アメフト部に所属すると、ほぼほぼ留年して5年生まで在学することが周知の事実でした。私たちのチーム・活動に興味があっても就職活動への不安が大きな障壁になり親に入部の反対を受けることもありました。そこで、就職したOBによるセミナーを開催し、部活動での経験が就職活動の糧になることを伝え、実際にどんなところに就職しどんな仕事をしているかを伝えました。それまでは来なかったタイプの新入生が集まり、体力に自信がなく選手にはなりたくない男性もマネージャーとして貢献したいと入部してくれるなんてことも起き、アナライジングという役割が作られました。

引退直前には、これらを私たちの代だけで終わらせず継続し積み上げ、チームの伝統や文化にしてほしい、きっと日本一になってほしいという気持ちをつなぎました。引退後、優秀選手をたたえる表彰式があったのですが、そこに「マネージャー賞」が新設されることとなりました。誰もが認めざるを得ないくらいの成果だったのだと思います。「試合後に選手に胴上げをされるマネージャーになる」と言っていた畑中さんが表彰されている姿を見て、マネージャー全員で泣いた青い思い出は、私の原点の2つ目で間違いありません。

組織においての人的資源の大切さを学問と実践で体得し、〝組織における採用・育成・配置配属の重要性〟にどっぷりはまります。面接という場にもかかわらず、人がその人らしく生きるということについて面接官と盛り上がった会社、㈱リクルートに入社することになりました。

2009年には、「もし高校野球の女子マネージャーがドラッカーの『マネジメント』を読んだら」（ダイヤモンド社）という小説も発売されて大ヒットしました。物語の舞台は高校の野球部ですが、私たちと同じように、マネージャーがはじめは選手に見向きもされないなかで、ひたむきにドラッカーの教えを実行することでチームを成功に導いていきます。この本は自宅に1冊、machiminの本棚に1冊あります。

ボランティアをきっかけに、流山市とつながる

時は変わって、会社での仕事に慣れて東京の目黒区にある住居とオフィスの間を、終電かタクシーで帰る日々が続いていました。

結婚を考えるタイミングで「どこに住もうか」と考えながら毎日を過ごしていました。どんな暮らしをしたいか考えて、それが叶う場所を探しましたが、ネットに出ているのは建物の間取りや外観ばかりで、「どう暮らすイメージなのか」が全くわかりません。住宅情報の部署で働いていた同僚に話したところ「千葉県流山市なんかいいんじゃないか」と言われました。駅を調べて初めて知ったつくばエクスプレス線（通称：ＴＸ線）は、２００５年には東京都の秋葉原と茨城県のつくば市をつなぎ、都心とつくばの移動が最短45分となったため、沿線は新たなベッドタウンとしての宅地開発が進められたようでした。

流山市の情報を検索すると、「母になるなら、流山市。」と大きく書かれており、緑いっぱいの場所で一家団欒の時間を過ごしている様子の一枚の画像が目につきます。よくある

自治体のシティプロモーションとは異なり、こんなにターゲットをはっきり設定していることには驚き、興味をもって実際にまちを見に行くことにしました。

同じ千葉県内にある流山市の隣の柏市には、TX線の「柏の葉キャンパス駅」があります。行政や民間企業、国立大学が一体となって住環境の開発を進めてきた地域です。

その隣に「流山おおたかの森駅」があります。駅周辺は新住民の受け入れのために行政機関の出張所やバスなどのインフラ、大型ショッピングモールを誘致して整備していますが、同時に、近隣に点在する森のなかに、駅名の由来でもある希少種のオオタカが生息している地域でもあります。両者を比較すると、「柏の葉キャンパス駅」の周辺は当時既に開発が進められていて、一企業が全体的にマネジメントしているので一体感があり非常にきれいでした。「流山おおたかの森駅」は、とにかく今からやります！という感じで、どこかの企業が統括しているという雰囲気も見受けられず、市のHP等にも何も書かれておらず、まだまだ自由度の高い伸びしろと、まちをつくる側に回れる可能性を感じました。

移住後しばらくは、自宅と職場を行ったり来たりするだけでせっかく引っ越してきた流山のことをよく知らないまま過ごしていました。みなさんの中にもそういう方、いらっしゃいませんか？　終電が過ぎてタクシーに乗り、運転手さんに行き先を告げると「流山？ちょっと前までただの森だったんだよ」と聞かされることもありました。今のシティプロモーションとかけ離れた評価に、余計に市のマーケティングは始まったばかりなのだとワクワクしました。

そんな中、私の状況は一変します。結婚し、2015年9月に第一子を出産して育休を取得したことで地域にいる時間が増えました。転入時に流山について調べた際に知った同世代の尾崎えり子さんの活動が大変おもしろいので会いに行ったことがありました。彼女はちょうどその時、Tristというサテライトオフィスの立ち上げを検討していました。Tristは「子育て中もキャリアを築きたい、働きたいがそう容易ではなかった」という彼女の原体験に基づき、〝通勤時間のカット〟を実現し、「家族のそばで」「仕事をして」「地域とのつながりを作る」この3つが緩やかに重なる働き方を提案するオフィスです。子育てしながら働くつもりがある自分にも今後関係してくるであろう課題の解決にかかわってみたくて、社会へのインターンとしてちょっとだけ参加してみよう…のつもりだったのですが、会社でやっていた社内人事や大企業への営業の仕事とは異なる「事業開発」や「自治体との連携」は刺激的で、見事にどっぷりはまりました。文字通りのどっぷり具合でした。

その様子を見ていらっしゃった流山市のマーケティング課職員の河尻和佳子さんから、私自身が流山に興味を持つきっかけになった「母になるなら、流山市。」のモデル候補にならないかとお声がけ頂きました。ポスターのモデルになる家族は、毎年市内で子育てをするＤＥＷＫｓ[※]。都心から転入し、子育てしながら、自分のやりたいことも諦めないで具体的に行動し、この先も地域で活動する意志もあることが、流山市がアピールしたい「母親像」と合致したのだと聞かされました。

そして、私はTristを通じて地域活動を体感し、思い残すことなく２０１６年８月に㈱リクルートへ復職しました。高校生の頃にやった尽くすボランティアとは違う、自分のためと人のためが同じくらいの価値を持つと感じられる活動で、学びや出会いという報酬があり、育休中の過ごし方として大満足でした。

第二子を妊娠した時、「次の育休は、包括的にまちの課題を知る時間にしたい」と考えて、まずは流山市に関する記事を片っ端から読み、行ったことのない場所、会ったことのない人に会いに行きました。会社と自宅と保育園の行き来だった生活から、まちに飛び出たこ

※ＤＥＷＫｓ　デュークス。結婚して子育てをしながら共働きを継続している夫婦（世帯）

とで、エリアの違い・世代の違い・性別の違い等によって様々な種類の課題がとんでもない量あることを知りました。そして、ふとした妄想がむくむくと膨らんできます…！「まちを株式会社流山市と捉えた時、もしわたしが人事部長だったら」と。株式会社流山市の経営状態は、戦略は、現状は、課題は…それをまちになぞらえながら、採用は、育成は、配置配属は…市民を従業員と仮定すると…ふと気づけば、大きなお腹を抱えながらカフェで1人、頭に浮かんだことをひたすらノートに書き出していました。

もうひとつ、妊娠・出産で視野が広がった出来事があります。「電車で席を譲られる人」になったことです。（そりゃ妊婦さんが電車で立ってたらそうなるよって？　まぁ、聞いてください）このタイミングでは、税金関係で免除を受けたり、手当を支給してもらったり、キャリアに対する不安に寄り添ってもらったりと、「助ける側」から「助けられる側」に一気に立場が変わりました。私は、もし障がいのある立場になったら、定年になり仕事が終わったら、と多世代多様な人々の立場に立ってその気持ちや生活を想像するようになりました。自分事として想像できるようになったのです。「もし、日中にまちにいる人たちが自分の〝好き〟や〝得意〟で楽しく活動したら一体どこまでやれるだろう、まちの課題は解決していくのだろうか、万が一にも社会構造に影響を与えることになるのではないか」と考えて、考えて、考えてしまいました。そうです、私はその妄想を実践したいと思うようになります。

市民団体WaCreation設立　時間との戦い

第一子の育休期間の終了後は、地域のボランティア活動をきっぱりとやめて㈱リクルートに復職しました。Tristでの活動は非常にやりがいがあり楽しかったのですが、同時に地域で稼ぐことの難しさを感じ、理想を現実にすることはそう簡単ではないということを感じました。あくまで育休中の短期間だからこそ社会での遊び・学びとしてできることだと思いましたし、復職すれば初めての子育てと仕事の両立で手一杯になることも容易に想像できました。この時の私には、会社で働くことと、地域で活動することはまったく別のことでした。おそらく、同じような気持ちの方はたくさんいらっしゃると思います。

復職と同時に、毎日満員電車に揺られながら通勤する日々が再開します。子どもが体調を崩すことも多く、業務に加えて看病もあり、仕事を休まなければならない日もしばしばありました。仕事をやりくりできずに、上司や同僚に迷惑をかけることもありました。休んでも迷惑をかけても、安定したお給料が毎月振り込まれているのを見て、ありがたいと思う分だけ、申し訳ない気持ちにも、うまく言えないけれど情けない気持ちにも、達成感を感じられないもやもやした気持ちにもなりました。周りは理解もしてくれたし、誰も私を責めないというありがたい環境でしたが、突然休むことになるかもしれないので、できるだけ単独の仕事で、止まっても困らない仕事をもらうようになりました。当然、やりがいも減っていくという、「望んでいるが望んでいない」という矛盾した状況の中で頭の整理がつかない時間をすごしました。それでも、会社のみんなや家族に支えられ、日々の繰り返しの中で慣れていきました。これは復職あるあるだと思います。

仕事とは違うものという認識を持っていた地域活動について、考え方に変化が出たのは第二子の妊娠時でした。子育てと都心への通勤・仕事の両立で大変な折に妊娠が重なり、「このままでは本当に倒れてしまうかも」と思うほどしんどかったです。「両立して働くって何なんだろう。安定して挑戦するってこんなに難しかったっけ」と自問自答を繰り返し、かならず訪れる2人の子育てと通勤の両立の日々を考えたときに限界を感じます。「子育てしながら仕事をする時の自分の理想の暮らしって具体的にどんな感じか?」地域活動で自身の能力を発揮して必要なお金を稼ぎ仕事にし、遊び・学び・働くを融合させることさえできれば、そこで生まれた経験や知識や人脈は自分だけでなく子どもや生活にも還元されるので、そうした生き方も選択肢の1つにあってほしいと強く意識するようになりました。希望するバランスはどんな暮らしなのか、その暮らしを叶えるための必要額はいくらなのか、模索しました。

「地域活動を仕事にできるのか、約1年間の育休中に確かめて今後の働き方を決断しよう」と決めたらあとは行動あるのみ、即断即決即行です！　1日も無駄にできません！　具体的にプランを練り上げ、実行に移すために準備することはたくさんあります。

「はじめに」ではmachiminの運営母体が「NPO法人」ではなく「株式会社」だと書きましたが、実は当初はNPO法人を設立しようと思っていました。2017年3月に産休に入ると、早速行政の施設である市民活動推進センターに相談に行きました。

「NPO法人をつくるにはどうしたらいいのか？」と聞いてみると、まず、申請から認証、登記にいたるまで、NPOの法人格の取得には約3ヶ月かかると言われました。1年間をタイムリミットと決めたのに、3ヶ月も待機時間が発生してしまうのは私にとっては非現実的で、その上、NPO法人を申請するには最低でも10人のメンバーが必要だったので、時間的に実験にならないと諦めました。そもそも、地域活動を事業化できるかどうかを確かめるための試行期間なので、1人でもできる活動から始めることにしようと決めました。そのため、まずは申請・登録がしやすい「市民団体」としてWaCreationを設立しました。

2017年4月、念願叶って、株式会社流山市の〝ヒト事業〟の第一歩を踏み出すことができました。

シビックプライド（市民の誇り）を賭けた挑戦と新たな出会い

市民団体の設立後、市のマーケティング課と連絡を取り合っているとまちの広報活動に関係する活動への参加の話がやってきます。

2017年5月、各自治体が地域の魅力を発信することを目的とした「シビックパワーバトル」というイベントの第1回目が開催されることに決まりました。流山市、横浜市、千葉市、さいたま市、川崎市を代表した市民や団体、企業、そして自治体が一堂に会し、それぞれ独自の制度や統計資料、地域活動の成果などのオープンデータを活用することで、バトルのために協力しながら地域の魅力を発表します。マーケティング課から私に、〝流山のリーダー〟としての打診があり引き受けることにしました。初の全体実行委員会が開催されたとき、第二子を出産したばかりだったのでリモートで参加したのですが、委員長を決める際に誰からも手があがらず、重い空気が続いており、耐えられずに、「私がやりましょうか」と言ってしまいました。つい…。

「シビックパワーバトル」開催には、次のような背景がありました。流山市は都内からの共働き子育て世代の転入者を増やしましたが、転入以前に流山市に対して抱いていた印象と転入後の実際の環境が異なると感じ、「こんなはずではなかった」と不満に思う人も少なからずいるようでした。そうした人たちがそんな環境を自分たちの手でなんとかしたいと思っても、そもそも何をどうやったら良いか、わからない人もいるでしょう。そういった人に向けて、客観的なデータから地域に対する関心を持ち、知るきっかけにしてもらおうと企画したのがシビックパワーバトルでした。そのバトルを契機に地域で開催されるイベントやワークショップなどの活動に「参加してみよう」と思う住民が増えれば地域はさらに盛り上がりを見せるはずです。

もっとも、年度途中での企画だったので市の予算はゼロ（！）だったため、無償のボランティアでした。それでも、「行政からの依頼はどんな分野でも、無償でも、基本的に引き受ける」のがその頃の方針でした。実績やネームバリューのない市民団体WaCreationが、実績を積みながら行政や周囲の方の信頼を獲得していきたいという狙いがありました。企画部署の特性から、シティプロモーションのためにメディア露出を図っていくことも想像できたので、結果を出すと互いにメリットがあると思えました。

9月の開催予定日まで半年もなかったため、なかなか駆け足でした。プログラムもないし、紹介する内容もその時点ではないし、誰が登壇するかの候補もないし、というびっくり仰天の状況でした。（しつこいですが、無償ですよ！）

登壇候補を探して三千里。育休を取った男性がTristでリモートワーク利用を始めたと聞いてつながりに行くと、どうやら奥さん（橋本さん）も育休を利用して子ども食堂や市民団体のボランティアに参加しているようで、興味を持ちました。

彼女はイラストが得意で、活動でチラシやPOPが必要になるとかわいい絵を描いていました。話すと人当たりも非常に良く、「今の流山の良さを伝えるアンバサダー（大使）にピッタリな人だ」と思ったので、彼女にシビックパワーバトルの趣旨を説明して夫婦での出場を依頼し、了解を得ました。橋本さんとの出会いは私にとっても、machiminにとっても、大きなターニング・ポイントになっていきます。

流山のメンバーを他にも数名集めた後は、別の人に〝流山のリーダー〟を任せ、私は実行委員長として他の自治体との認識のすり合わせのために資料作成や打ち合わせなどが重なり忙しい時間でしたが、この取り組みのなかで同時に5つの自治体の方と企画を進める経験ができ、価値観・興味・得意不得意・好き嫌い・仕事の進め方・プライドを持つ点・市民との協働の仕方など自治体ごとに様々であることを知ることができました。（授乳して赤ちゃんが寝ている間がこの内容なので、刺激が大きかったです）例えば、市民協働といっても、市民を支援する立場・市民と対等な立場・市民をリードする立場など、言語化されていない微妙なポジショニングの違いが自治体ごとにあり、その理由を掘っていくとまちの成り立ちや財政状況とリンクしているという気づきがありました。そして、ここに参加した自治体のみなさんは、広報やシティプロモーションの部署の方であり、「これは結局どこにも負けてはいけない」バトルだと全員が思っていたことがおもしろい点で、資料が具現化するなかで徐々に雲行きが怪しくなりました。全員が勝つバトル（笑）？　このテーマと2ヶ月ほど向き合い、「全自治体が〝勝ちたいポイントで〟勝つ、それぞれの個性や背景が活きる、そういう意味で〝負けがないバトル〟にする」という私なりの翻訳をしていくことになります。魅力というものはそれぞれあり1つではないし、当たり前だと思っていたものも見方を変えればそれは魅力になるなんてこともありますし、比較の中で発見されることもあります。自治体との付き合いが初めてだった私が、市民活動を始めて一番初めにこの気づきを得ることができたのは、同じテーマで複数の自治体とかかわったからこそでした。（この経験は換金できない資産です）

来たる9月23日、自治体の代表や観覧者やメディア関係者の総勢約130人が東京都千代田区にあるYahoo! JAPAN本社のＬＯＤＧＥに集合してシビックパワーバトルの第１回が開催されました。東京都以外の首都圏３県にあるまちそれぞれが持つ特徴や魅力、なかなか聞けない本音を「住む」「遊ぶ」「働く」という切り口で市民がデータを使って伝えるバトルに場は賑わいました。「働く」を担当した橋本さん夫婦が自分たちの周囲にある事例をもとに流山での働き方、暮らし方のパターンが非常に多く、自ら開拓していく空気があることを話してくれていました。どのプレゼンもなかなかにおもしろいもので、想像を超える盛り上がりでした。河尻さんは「企画が成功すればいいだしっぺの流山に光が当たる、また実行委員長が流山なので必ず流山のシティプロモーションになる」と話されており、そこを実現しないと評価を受けないという基準を理解し動いていました。当日はバトルで流山の市民が勝つか負けるかは市民のみなさんにお任せし、私は司会を、河尻さんはマイク渡しや席の設置をはじめとする実行委員としての裏方をなさっていて、とにかく初めての企画を成功させることだけを考えていました。つまり、流山市の協働は市民を支援する立場であり、河尻さんの姿勢は「市民と対等」なものでした。

シビックパワーバトルの期間中は、橋本さんとはお互いに違う役割を担当していたのでそこまで親交を深める機会はなかったのですが、終了後はSNSでつながることとなりコミュニケーションが増え、人柄の良さ・仕事をしっかり進める誠実さを確認できました。地域での活動を続けたいか、継続するとすればその期間はどれくらいのものかなどの質問を繰り返すなかで、彼女は「株式会社流山市」の人事部長である私の採用・育成候補者になりました。

「株式会社流山市」の人事部長、動きます

早速、橋本さんが具体的にどんなイラストを描きたいと思っているのか、自ら描くイラストをどのような形で活かしたいと考えているのかをコミュニケーションを通じて引き出すことから手をつけていくことになります。問いの答えは、橋本さん本人も明確には自覚していない段階で、言語化することが難しい部分なので、反応を見ながら当たりを探りに

行きます。SNSに記載されていたプロフィール、日々のSNSの投稿、会話等を参考にしながら、「個展を開いてみてはどうか」「○○をイラストにしてみてはどうか」などの提案を繰り返したところ、最も反応が良かったのが「まちの歴史を転入者にイラストで伝えてみてはどうか」という問いかけでした。橋本さんが大学時代に歴史学を専攻したことがわかったので、「彼女は歴史に関心があるかもしれない」と感じたことに加え、橋本さんが家族旅行記として描いたイラストでの伝え方を見てひらめいたのでした。

11月には、市民団体WaCreation主催で、橋本さんと一緒に流鉄流山線の沿線付近の名所を紹介する「流山本町を『伝える』プロジェクト：流山本町まんが巡り」の企画を始めることになります。

シビックパワーバトル後、マーケティング課と直接タッグを組んだ活動をすることはありませんでした。しかしながら、初代実行委員長の取り組み以降は、マーケティング課は金銭を介在しないサポーターとなっていただけたように感じています。市役所内の部署間で市民団体WaCreationの活動内容に関する情報を共有くださり、他の市町村からの視察やメディアからの取材依頼を受けた際、目的に応じてつなげていただく機会もありました。

「みりんの魅力再発見プロジェクト」から、流山駅の一角にある「一等地」を獲得するまで

市民団体WaCreation時代、流山市内には非常におもしろいのに転入者からの認知度が低く、多世代交流のきっかけになるんじゃないかと感じる「モノ」と「バショ」が2つありました。

それが「みりん」と「流鉄」です。

流山市は、白みりん発祥の地と伝えられています。みりんが赤黒かった時代に琥珀色の透き通ったみりんのことを「白みりん」と呼んだようです。（現代では一般的に使用されているみりんの大半は白みりんになっており、区別する必要がなくなって〝みりん〟となりました）後に、machiminが所在することになる流山本町エリアは歴史的な景観が残る地区で、近くには大正6年設立の万上味淋株式会社（現：流山キッコーマン㈱）がありま す。地域に土着の産品で、長らく流山市民に愛され続けてきたみりんは、地域の歴史を語るにはもってこいでした。当然、市も強くみりんを推したいと考えています。ナショナル

ブランドの企業がかかわっており、一般人がスーパーで安価に手にすることができる点も強みです。和食といえば世界的なブームでもありますが、アルコールであることも関係して海外には出しにくいようです。外食が流行し、洋食が増えている子育て世代にはみりんを使用する機会が減っており、煮物に使うもの・脇役であるというイメージが強くあるように感じます。みりんは「本みりん」と「みりん風調味料」に分かれ成分も全く異なりますが、知識不足により安価な「みりん風調味料」を「本みりん」と間違って使用しているケースも散見されています。このままでは、次世代の子どもたちに日本の伝統調味料みりんが伝承できなくなる可能性も0ではありません。このような背景からみりんは発信材料として非常に良いと思いました。子育て世代と子どもたちでみりんの魅力を再発見し、地元の人や海外の人たちとの交流テーマにすると奇跡を起こせるかもしれない。もっと「活かす」ことができると思う地域資源の1つでした。

そこで、2017年10月に、みりんを活かす取り組み「みりんの魅力再発見プロジェクト」を開始しました。地方から都内に仕事に出てきて、子育てするタイミングで転入する家族が多い流山市では、「まちの個性が反映された手土産」が必要になるシーンがたくさんあるはずだと思いました。それがターゲットニーズに合ったもので、かつ転入者が買いに行きやすい場所にあればいいのにと、まさにターゲットの1人として感じていました。

普段みりんの代わりにみりん風調味料や砂糖を使っていて、本みりんの魅力がわからない子育て世代向けに、「砂糖不使用でヘルシーに」、「和の煮物のイメージを壊せる洋菓子を」、「みりんの味がわかるような」、お土産になりうる商品を試作し、SNSで発信したい！と発信するところから始めました。共感してくれる人、おもしろがってくれる人、お菓子やパン作りに自信がある人が3名集まり、はじめまして同士でプロジェクトが進みました。

各自自宅でみりん商品を試作してお土産のレシピ開発を進め、広報も兼ねている共通のSNSに各々が作成した写真付きのレシピを自由に投稿してもらう仕組みなので、仕事をしながらでも、子育てしながらでも、楽しみながら参加できたのだと思います。私自身も想像していなかったレベルの、明らかに素人ではないだろうと思うものが出来上がってきて、ワクワクしました。みりんに詳しい方々にご試食いただき、アドバイスを反映しながら改善を進めたところ、ご好意から機会をいただき、11月には流山本町活性化協議会主催のイベントで、12月には森のマルシェ実行委員会主催（流山市共催）のイベントで、開発した商品の試食会を実施できました。この様子を見て開発参加者は10人にまで増え、メディアに取り上げられ始め、市の公式クックパッドページが立ち上がり、運用を任されることにもなりました。（無償なのですが！）自分たちの活動が広がりを見せていくことがとても楽しかったのです。

machimin開設後も一緒に活動することになる製菓衛生師・栄養士で料理講師の佐藤恵美さんも、このプロジェクトメンバーの1人でした。のちに佐藤さんには、パティシエの経験から得た知見を活かし、machiminのみりん商品開発・販売という人材育成研修で中心的な役割を担ってもらうことになります。

流鉄流山線は流山市の隣に位置する松戸市の馬橋駅から終点流山駅までを結んでおり、その間にはわずか6駅、走行距離は5・7㎞しかありません。江戸川の水運で栄えた白みりんの発祥地である流山市は、千葉県（当時の葛飾県・印旛県）の県庁所在地だったこともありました。陸運に変わっていく時の流れを受けて、地元の商店主や町民が出資してJRに接続する町民鉄道を作り、みりんや市民を運び地域社会を継続してきた背景を持っています。市内の交通網が発達した現在もまちを見守り、市民からも愛される存在と言っても過言ではありません。

流鉄流山線（通称：流鉄）のおもしろさは、窓口で硬券を買うところから始まる時空を超えたノスタルジックな構内、出発に間に合うようダッシュする市民を待ってくれる優しい駅員さん、沿線に江戸時代から残存する本町地区の情緒豊かな歴史的建造物の数々、個性的な店舗を回れることなどが挙げられます。東京都の台東区にある上野駅を始発とする常磐線に乗れば片道約40分で馬橋駅に到着できるアクセスの良さもあり、「都心から一番近いローカル線」流鉄は、東京からの日帰り観光スポットとして鉄道ファンや歴史好きの間でも人気です。

橋本さんと始めた「流山本町を『伝える』プロジェクト：流山本町まんが巡り」では、流山本町にある神社や商店、史跡などのスポットを橋本さん自身が巡り、NPO法人流山史跡ガイドの会のシニアのみなさんや流山本町のみなさんに話を聞きながら、イラストにして転入者向けに発信していきます。活動はmachimin開業後も続き、橋本さんが描いたイラストをもとに、史跡ガイドの会のシニアのみなさんのガイドを受けながら散策する「子連れ向けの本町ツアー」も開発し定期的に開催していくことになります。この企画は、つくばエクスプレスの開通後に移住した転入者と、それ以前から住んでいる市民が交流するうえでの架け橋の役割に発展していくことになりました。

2017年11月から始めた活動が年末に差し掛かり、育休後に復職するか、市民団体の活動を続けるか否かの決断を迫られるタイミングになりました。きました。「地域活動を仕事にできるのか、約1年間の育休中に確かめて今後の働き方を決断する」の答えを出すときが。

今までの活動がビジネスに進化する可能性を感じ、多世代交流が起きやすい拠点にふさわしい場所を模索しているタイミングで、流山本町地区の観光推進業務を担う流山本町・利根運河ツーリズム推進課の井戸一郎さんから「流山本町・利根運河ツーリズム推進事業補助金」に関する概要や補助内容の説明を受けます。この補助金から、観光の目的になるような古民家を改装したフレンチのお店「丁字屋」や雑貨店「あかり館@雑貨konocono」、蔵を改装してできたカフェ&ギャラリー「灯環（とわ）」や、納屋を改装してできた喫茶店「tronc」などが開設されています。当初観光を推進したいという欲求はありませんでしたが、今までの活動自体が観光推進になりうるという評価なのだと感じられ、古民家を探していた私にとっては渡りに船でした。

とはいえ、もちろん棚からぼたもちのようなこの話も座して待っていた結果ではありません。伝統的な街区の流山本町は、「みりん」と「流鉄」に関心を抱いていた私にとってぜひとも活動拠点を置きたいと願っていた場所でした。そのため、マーケティング課とは別に流山本町・利根運河ツーリズム推進課にもことあるごとに市民団体WaCreationの活動に対する後援依頼などを行いながら、少しずつコミュニケーションをとる機会を増やしていきました。必ずしもこちらの希望が通る訳ではありませんでしたが、継続して顔を出して話をするうちに活動に対する熱意や〝本気度〟といったものが伝わったのかもしれません(笑)。これは、㈱リクルートで無意識に身についた、古き良き営業活動の基本かもしれませんね！　井戸さんから、1件古民家の賃貸情報を紹介していただきました。結果的に不成立になり他のエリアを探し始めたところ、他にもう1件賃貸情報があり「一等地」だと紹介がありました。流鉄流山線の流山駅改札横にある旧タクシーの車庫です。タクシー3台分の空きガレージでした。現場を下見した時、古民家を探していた私の頭にはてなマークが1万個ほど浮かんで、フリーズしたと思います(笑)。正直、「だまされているのでは…」と思ったほどです。トイレもエアコンも窓も玄関もありません。(トイレは流鉄さんが貸して下さるとのことでしたが…)ここを古民家のようにリノベーションするには予定の2倍ほどの改装費が必要でした。

3日ほど考えて、私は株式会社流山市の〝ヒト事業〟をここでスタートすることに決めました。コミュニティづくりの拠点「machimin—まちをみんなでつくる—」を成功させるために重要なのは「普通は×にすることを○にする勇気」だと思ったのです。自分が今何を買うべきかを考え、応援してくれる、連携してくれる人たちがいる環境を優先しました。

その利便性から地区の玄関口として多くの人が行き交う場所なので、できれば観光案内所がほしいと思っているというお話を受けました。観光案内所の機能は多くの場合行政の機能なので、それをやってと!?と、一瞬困惑しましたが、逆転の発想で「観光案内所の機能も付いている」拠点にして1コンテンツとして観光案内をすることは悪くないなと思いました。その役割も果たせば、市の政策とマッチしやすく最低でも3年間は連携できる可能性を感じました。こうして私は、「コミュニティスペース兼観光案内所（菓子製造所付）」を提案し、審査を経て市から物件の改装費の半額補助350万と3年間の家賃半額補助を受ける形でmachiminの開設に至ります。

賃貸契約や物件の改装発注に間に合わせる形で2018年1月5日、市民団体WaCreation改め株式会社WaCreationを設立し、再始動します。今からここで起きることをビジネスに成長させていく覚悟は決めましたが、ビジネスとして成立するかはまだ不明確でした。machimin開設から3年間を1つの期限として、大学卒業後の初任給として㈱リクルートから支払われた金額を自分に払えるくらいには会社が成長していることを目標の1つにしチャレンジすることを家族と約束しました。

machiminを、まちのみんなでつくる

きりが良いので2018年4月1日に開設することを決め（笑）、またしても時間がなく、いつものようにSNSを通じて立ち上げボランティアとして手伝っていただける人を募ります。

WaCreation〝壁〟を壊して、輪を創る　2018年1月9日

［拡散希望］力を貸して下さい！　モノヒトコトの募集

WaCreationは流山における多世代多様な交流人口を増やす一役を担いたいと考えます。

大人になると気づきました。温かな記憶にはいつも人がいて、自分を形づくる個性の原点はいつも体験でした。それらを流山でたくさん生みたい。〝私たちの〟まちにしたいのです。

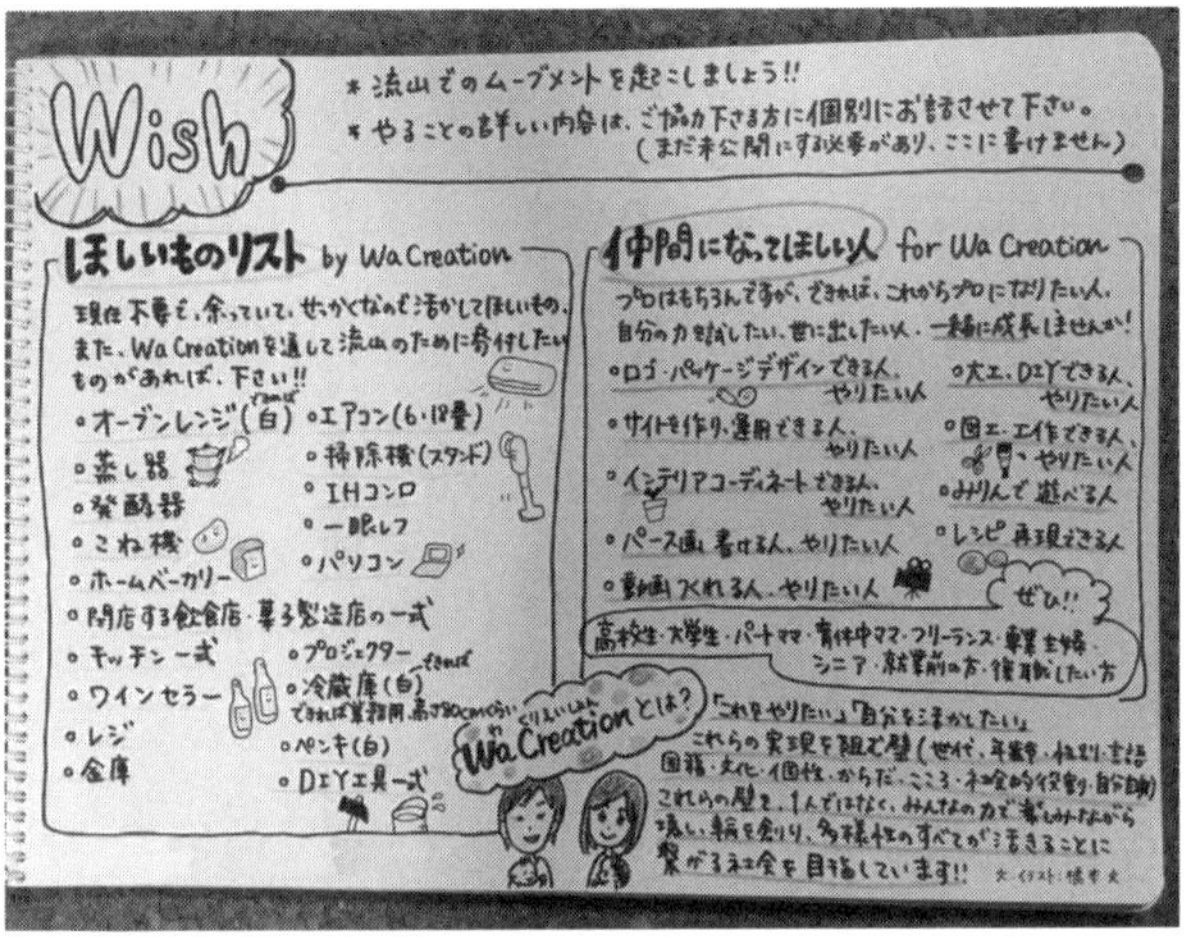

SNS に掲載したモノヒトコトの募集リスト

また、まちを知れば知るほど、「もったいない」を感じました。

ある時シニアというカテゴリに入れられる、でもその瞬間に何か出来なくなったりしません。むしろ経験は積まれています。ある時急に母親になっても、人としては新たな学びや気づきをシャワーのように浴び続けています。ある時突然事故で障がいのある人になったとしても、全てをなくしたわけではないはず。いろんな環境はあれど、自分の親に全てを左右されたりしないでほしいです。

常に、私は私であり続けるはず。

同様に空き家、古民家、いらない家具、タンスの肥やし、廃材までも、使い方活かし方アイデア次第で、また価値発揮させることができます。歴史や経験はお金では買えない価値ある資産です。

『壁を壊して、輪を創る』WaCreationは、
誰かのやりたいを邪魔するものを〝壁〟と捉え、
その壁をみんなの力で楽しく壊しながら、輪を創り、
また誰かのやりたいを叶える波を生みたい。
ないなら創る
ほしいなら創る
あるもの活かす
みんなでやる
この度この想いを体現する拠点をつくります。いろんなモノ・ヒトに羽をつけるコトを企みます。具体的に何をやるのか？　どこでやるのか？　などのプランは、ここには書ききれないので、強く共感いただける方、激烈な協力をくださる方に、個別にお話しさせて下さい。

・あなたにとって今不用で、かつ、大切にしていたからこそ活かしてほしいモノがあれば下さい。
・自分の力に可能性を感じているが自信がないヒトがいたら、私を練習台にして下さい。
・こんなことが出来るのでは？というコトがあれば、ぜひ教えて下さい。やりましょう！

お金がないのに大丈夫なの？ こんなことして人は集まるの？ 共感してもらえるの？ 失敗したら恥ずかしいな…という気持ちは常にありますが、そんなこと言ってたら何も出来ないから一歩を踏み出しました。ご協力頂けると、とても嬉しいです。協力してよかったと思えるお返しができるよう努力します！

…といったテンションでした。市民団体WaCreationの様々な活動には関係者がたくさんいましたし、メディアからも取材を受けて注目を集め始めていたこともあり、協力者募集の投稿に対して大勢の方がシェアしてくれました。その結果、面識のある人だけでなく、知人の知人や、さらにその知人…といった具合に〝輪〟が広がって、数多くの反響があり、作業を行う平日の昼間でも身動きが取りやすい主婦層を中心にシニア・学生を含む60人ほどのスタッフに集まってもらうことができました。

集まったスタッフは、今後地域で活動していきたいと思っている人、刺激が欲しい人、話題になっているからとりあえず来てみた人、自分の活動の幅を広げたい人、個性は様々です。基本的には応募者は全員受け入れて、できる限り個々の希望に沿った作業を手伝ってもらう形で担当パートに分かれてもらい進めました。基礎工事を終えた建物の内外の壁の塗装や流鉄のトイレリニューアル作業、Webサイト制作をはじめ、集められた廃材を使っての日用品（ざぶとんカバー、カーテン等）や装飾品作りなど、個々人の〝好き〟や〝得意〟なことを活かした準備が進められました。絶対に成功させたい、私の脳内にあるイメージを再現したいという強い気持ちがあったのもあり、知り合いでもなかった人を含む60人のチームと2ヶ月半で一から作り上げることは、至難の業でした。無償のボランティアにもかかわらず連日行われる作業だったので、負担に感じる瞬間もあったと思いますが、当日朝まで必死に準備しギリギリなんとか間に合わせてくれ、4月1日にmachiminのオープニングセレモニーをみんなで一緒に迎えることができました。

様々なメディアに取り上げられ、華々しくオープンしたことに反して、実際の初日の営業は1人でしたので、そのギャップと今までの疲れで放心状態だったことを覚えています。あくまで立ち上げのボランティア募集だったので、オープン後のmachiminの運営は私1人で行うことになる予定でした。が、嬉しいことに解散したボランティアのうち2割ほど（10人くらい）のメンバーが定期的に訪問してくれたり、運営を手伝うと申し出てくれたのです。そもそも、machiminの立ち上げは無償のボランティアで頼むにはとてもハードな内容だったのですが、それでもなお「machiminを立ち上げること」だけでなく「machiminを運営していくこと」に、自ら手を挙げてくれた人たちは、間違いなく、私が一生大切にすべき存在です。橋本さん、佐藤さんもその1人でした。

つまり、「株式会社流山市」の人事部長としての私の役割も、このときに本格的に始動します。いわば、今までの活動は採用のためのインターンでもありました。残ってくれたメンバーは人事部長の育成対象となり、machiminを運営しながら共に成長していく仲間となりました。

1人では難しいことも、誰かと一緒に実行することで可能になることがある、もしくは可能になるような環境をみんなで協力して整えていくことで、誰もが〝好き〟や〝得意〟

を活かせる地域社会にしていきたい。この想いの先には、既存の固定観念に基づくさまざまな社会的・精神的な壁を壊して輪を創り、そしてまちの中で学びあいが生まれ、まち全体が学校のようになり、そこからまた壁が壊れて、さらに輪が出来ていくという構想があります。こうして私は㈱WaCreationのビジョンの実現に向けて、machiminや地域資源（ヒト・モノ・コト）を活用して「壁を壊して、輪を創り」つつ、「まちを学校に」していく循環や仕組みづくりに乗り出すことになりました。その仕組みづくりの第一歩として、〈〝好き〟や〝得意〟を活かして地域に参画する人を増やす〉ことから始めたのです。〝まちをみんなでつくる〟ための第一歩はここから始まりました。

CHAPTER 2

machimin という“場”は どのように育ったか

machimin 事業／ boat 事業

「したい気持ち」への壁を壊し、輪を創ることで壁をさらに壊す「チャレンジ都市」へ

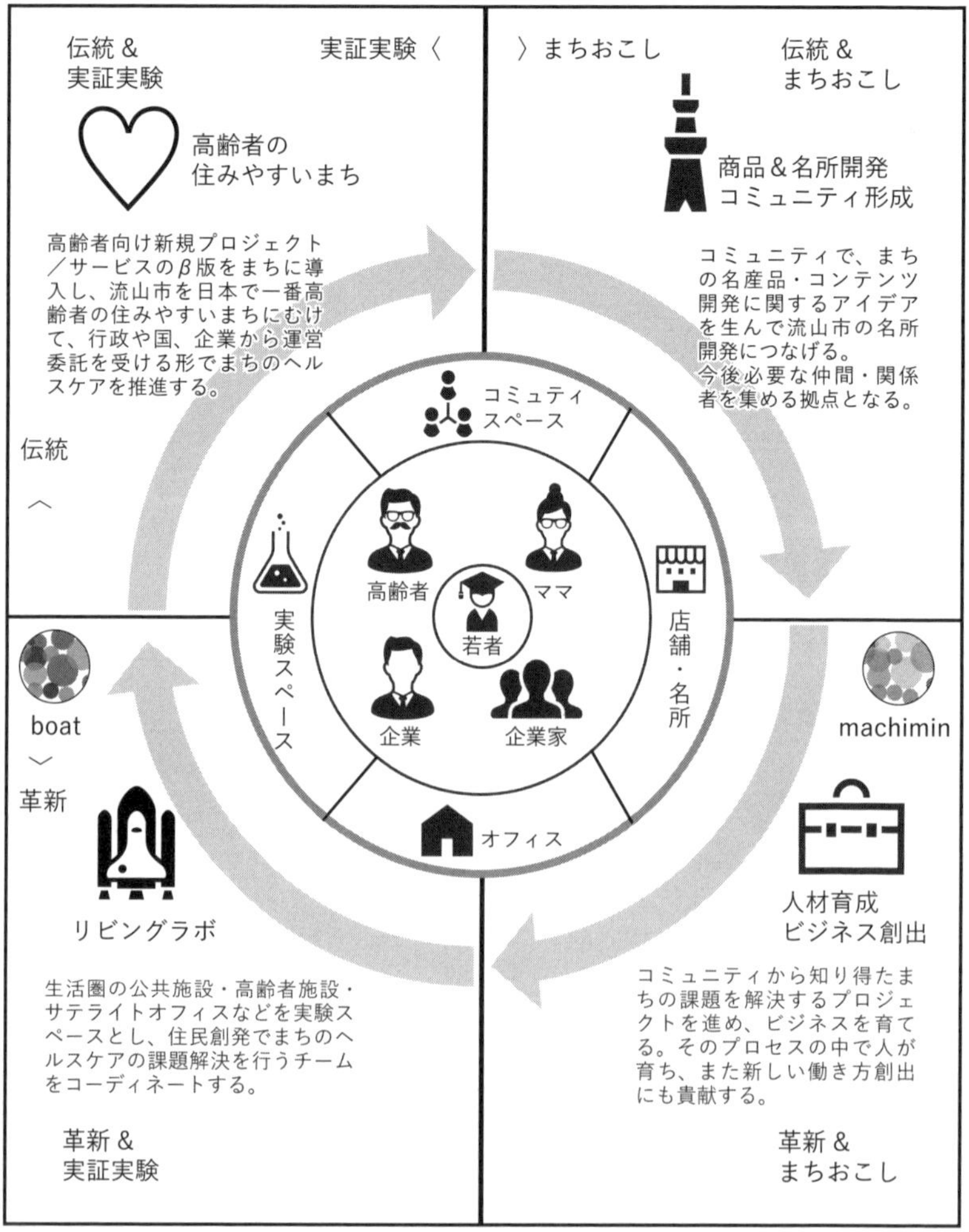

伝統＆
実証実験
実証実験〈
高齢者の
住みやすいまち
高齢者向け新規プロジェクト／サービスのβ版をまちに導入し、流山市を日本で一番高齢者の住みやすいまちにむけて、行政や国、企業から運営委託を受ける形でまちのヘルスケアを推進する。
伝統
︿
〉まちおこし
伝統＆
まちおこし
商品＆名所開発
コミュニティ形成
コミュニティで、まちの名産品・コンテンツ開発に関するアイデアを生んで流山市の名所開発につなげる。
今後必要な仲間・関係者を集める拠点となる。
コミュティ
スペース
高齢者
ママ
若者
企業
企業家
実験スペース
店舗・名所
オフィス
boat
﹀
革新
リビングラボ
生活圏の公共施設・高齢者施設・サテライトオフィスなどを実験スペースとし、住民創発でまちのヘルスケアの課題解決を行うチームをコーディネートする。
革新＆
実証実験
machimin
人材育成
ビジネス創出
コミュニティから知り得たまちの課題を解決するプロジェクトを進め、ビジネスを育てる。そのプロセスの中で人が育ち、また新しい働き方創出にも貢献する。
革新＆
まちおこし

©2018 株式会社 WaCreation

boat 事業とは：
高齢者の住みやすいまちを目指して、ヘルスケアにおけるまちの課題を住民創発で解決していく事業。
https://wacreation.com/boat

なぜ、流山市を株式会社にたとえるのか

子ども店長

育休終了と同時に12年間勤務した会社を退職したのもつかの間…新生活がスタートしました。machiminを開設すると、早速近隣に暮らす人々が「駅前に何かできたみたいだ」と足を運んでくれるようになりました。

その中でも最も印象深い、一番初めのお客さんが当時小学6年生だった松村悠生くんです。近所に住む悠生くんは、なんと、オープン直後3日連続で足を運んでくれました。しかも、1日目と2日目に父親やおばあちゃんと一緒に来たあと、3日目には1人でmachiminに現れました。

悠生くんに、「どうして何度もmachiminにきてくれるの?」と聞いてみると、「観光案内所として、まちの魅力を伝える活動に興味があるんです」と答えてくれました。「じゃあ、一緒にやってみる?」と尋ねると、「やりたいです!」と即答してくれ、悠生くんは週末を中心にmachiminに来て「子ども店長」として店番をすることで運営に取り組むことになりました。「子ども店長」とは言っても、私は初め「小学生にとってはお店ごっこのよ

うな感覚だろう。」と思っていました。しかし、「完全に間違っていた!!」とすぐにわかりました。

例えば、学校があるため週末しか店頭に立てない悠生くんは、その他の曜日のmachiminの様子が知りたいからと、複数店長合同の定例会の開催・店長マニュアル作成を提案してくれました。さらに、取材や打ち合わせ、視察目的でmachiminに出入りをする人と私が名刺を交換しながら挨拶を交わす場面を見て「僕も挨拶した方がいいですか?」と尋ねてくれ、それならと名刺を作成しプレゼントすることになりました。

こんなにもやる気な人を子ども扱いするなんて失礼だなと思い、悠生くんには大人同様の経験にチャレンジしてもらうことにしました。関係者・関係機関への挨拶回り、必要な備品の購入、店長マニュアルのたたき台作成、見えない部分の掃除、観光案内、メディア取材の対応など、その範囲は多岐に渡りました。悠生くんがすごいのは、そうした運営業務に取り組むとき、machiminという場が少しでも良いコミュニティスペースとなるように主体的に私に提案し、実際に改善のための行動を自ら起こす「子ども店長」になったことです。

このとき、私の頭に㈱リクルートでの人事・営業のときの経験が頭に浮かんでいました。

ぼくは電車が
大好きで…
時刻表は最高ですよ
分かります
脳内旅行
できますよねー
入りたいけど
入れない
ムムッ
鉄分高め！
©はしもとあや

悠生君（右）はどんな年齢層の方とも自らコミュニケーションを取ります。

採用・育成の仕事では、クライアントである企業の求める基準を満たせなければいけませんでした。民間企業で働くには、年齢制限や学歴、資格などが必要とされることが多いので、どんなに本人のモチベーションが高く、スタンスが良く、スキルがあっても望む仕事をできるとは限りませんでした。当たり前ですが、悠生くんがそこらへんの社会人より素敵でも、いくら働きたいというモチベーションがあっても、小学生の悠生くんは就職活動はできないし、義務教育期間が終わるまではアルバイトもできません。

その点、machiminの仕事は無償のボランティアなので、労働基準法や児童福祉法で労働が制限されている悠生くんでも問題なく運営に携わることができます。キッザニアのまち版といいますか、遊びでもあり、学校にもなっていると思えました。「株式会社流山市」を掲げていて特に誇りを感じるのはこうしたシーンです。地域で活動するときの条件や資格などは存在せず、個人のやる気次第で自分の〝好き〟なこと、〝得意〟なことやってみたいことを通じて地域社会の中に自身の役割を見つけることができます。

とはいえ、悠生くんは子どもなので、前述した橋本さんのように、私の育成を通じて独立につながったり、どこかの企業で〝即戦力〟となる訳ではありません。ところが、「株式会社」が運営するmachiminの中で悠生くんが「株式会社流山市」でインターンをしていると言っても過言ではない経験は、目の前のmachiminの営業活動の成否にも直結する重要な役割です。非営利目的でも営利を生み出す活動に従事することによって、非営利のボランティアへの参加とは違って、地域社会の中で企業活動を実践しながら学ぶことができるのです。

「株式会社として看板を掲げることで、対企業で本気を伝えられる」というのが私なりの信念ではあったのですが、まさに悠生くんは「株式会社流山市」で彼自身の〝壁〟を壊して人生の可能性を切り開いてくれたと言っても決して大げさな表現ではありません。

これは後日談ですが、悠生くんの母親によれば、悠生くんはもともと自己主張の強い性格ではなかったそうです。「machimin ってどんな場所なのか。手塚さんは何を目指しているのか？　運営が株式会社なのに営利目的でないとは一体どういうことなのか…？　よくわからない…」と、思ったそうでした。（そうでしょうね…）それでも本人が「やりたい」と言ったので止めなかったと聞きました。これができる親がいかにすごいかということは、わかる人はわかると思います。

私のほうから、リスクとして感じている「子どもが株式会社で働くイメージで活動すること」、「移動時の事故の可能性」、「私は子どもの教育のプロではなく、machimin は学童でもないこと」を伝えに自宅訪問しました。両親が活動チェックに来なかったのも、私が行ったのも、後にも先にも松村家だけです。

中学生防災士誕生前夜

悠生くんの「子ども店長」としての活動は、小学校を卒業する2019年の春まで続きました。一方で、運営業務を通じて話を聞きとるうちに、悠生くんはもう1つ machimin に来る前から関心を持っていたことがあることがわかってきました。

それが、ドラマやアニメでも身近な「防災」というテーマです。医師や消防士を演じる主人公がヒーローとなって困っている人を助ける、というストーリーは子どもにもわかりやすいものでしょう。と、同時に父親の仕事（郵便局にお勤め）の影響もあって悠生くんは流山市内の道という道を自転車で駆け巡り、知り尽くしているという特技を持っていました。

彼は、流山地域を走りまわるなかで、危険な道を発見しては、書き留めておくという「ｍｙ防災ＭＡＰ」を作成しているとも言っていました。特に、２０１８年の夏に西日本を中心に襲った未曽有の水害をニュースで聞き、悠生くんは心を痛めていたのですが、同時に「誰も逃げ遅れなかったまちがある」というニュースをＴＶで見て、興味を持っていたようでした。

この話をmachimin店頭でお客さんがいない時間帯に話し、「小学生にしては着眼点が珍しく、素敵すぎる…」と感じました。私はmachiminの運営を手伝ってくれる悠生くんへの恩返しも兼ねて「防災をテーマに、小学生ではできない経験を提供して、自信をつけてほしい」と模索しました。そこで、「シビックパワーバトル」の縁で知り合った、千葉市役所危機管理監（当時）の松島隆一さん、川崎市にお住まいで東京大学勤務の小俣博司さん、流山市に隣接する松戸市にお住まいでYahoo! JAPAN勤務の井上貢さんにお誘いいただいた「ＵＤＣ（アーバンデータチャレンジ）２０１８」の千葉ブロック代表を引き受け、テーマを防災としてチームを組み、悠生くんをメンバーに据えることにしました。大人と同じ目線で防災について話し合う経験だけでも価値があると思ったのですが、実はそれ以上の展開を見せることになりました。

ＵＤＣは、一般社団法人基盤情報流通推進協議会（ＡＩＧＩＤ）という団体が２０１３年度から実施している、地域課題の解決を目的とした一般参加型のコンテストです。一次審査の書類を通過すると、最終審査として東京大学でのプレゼンテーションがあります。悠生くんは、「災害時にシニアが逃げ遅れないためには、どうしたらいいか」という課題意識がありました。それを軸に、防災をテーマにしたアクティビティ（地域活動）の構想を練ってコンテストに応募して、小学生ながら「東大でプレゼンする」という機会を得ることができたら悠生くんにとっていい経験になるだろうと思いました。

とはいえ、悠生くんは小学生、突然ＵＤＣの話をしても理解するのは難しいだろう…と感じたので、まず「防災について興味のある大人たちが集まる機会がある」と誘いました。流山市役所の防災担当職員へのヒアリング、民間の気象情報会社での意見交換、防災の専門家との対話を通じて悠生くんの知識は深まり、問題に対する解決方法も具体的になっていきます。

災害時の課題として、「携帯やスマホを使わないシニアが多いため情報が届きにくいこと」と「避難情報を得ても逃げない人がいること」の2つがあると意見交換しながら分析し、〈隣のおじいちゃんが逃げ遅れないために〉をテーマに定めました。災害時の緊急情報が発信されたときを想定して悠生くんが自分のおばあちゃんおじいちゃんの自宅にAIスピーカー〝防災情報スピーカー〟を設置し、LINEで「逃げて」と打ち込めばスピーカーから声が出るというような仕組みをチームで開発しアプリケーション部門にエントリー、調査から実証実験と開発までの一連をアクティビティ部門にエントリーしました。

悠生くんの挑戦は、無事に書類選考の一次審査を通過し、東京大学で行われる最終審査に進み、家族・専門家・関係者が見守る中で私と共に壇上に上がり、2人でプレゼンテーションを行いました。内容の9割はチームの大人で用意しましたが、最後のまとめと感想は、悠生くんが自分で書き1人でスピーチしました。審査員の反応も良く〈銅賞〉を獲得した上に、大学の先生たちには「一緒に防災に取り組もう」「うちの大学に来てよ！」と声をかけてもらいました。

悠生くんはUDCに応募することで、〈隣のおじいちゃんが逃げ遅れないために〉は、有事の際に地域のシニアに「お願い」を聞いてもらえる関係性、練習しておける関係性を日頃から築くことが重要だと実感したそうです。それは、自治会などが衰退していく中でmachiminのような地域コミュニティを強化することが、防災の観点でも大きな意味を持つことを示しています。また、家庭内でも両親とAIスピーカーを用いた実証実験を行ったため、コミュニケーションが活発化したと悠生くんからきいています。

その後、「そんなに防災に興味があるなら、防災士※の資格を取ってみたら?」というアドバイスを井上さんから受け、悠生くんは本当に資格の勉強を進めたようで、数ヶ月後には全国的にも珍しい中学生防災士となりました。(本当に受けたの? 受かっちゃったの? という感じでした) 防災士として活動を広げるというよりも、1つずつ発見とともに自分の興味があることを深めて、新しい出会いが生まれることを楽しんでいるようです。

中学生になってからも、特に人手が足りなくなるイベントをサポートする店員として、他の子ども店長の良きお兄さんとして、積極的に参加してくれています。(「子ども店長」

※**防災士**　特定非営利活動法人日本防災士機構による民間資格。機構が定めたカリキュラムを防災士教本による自宅学習(履修確認レポート)と会場研修講座の受講で履修し、履修証明を得て資格取得試験に合格し、消防本部または日本赤十字社等の公的機関が主催する「救急法等講習」、「普通救命講習」、「上級救命講習」を受講して、その修了証または認定証を取得した者に認定される。

は卒業です）

「ヒト」を育てるための研修を行うメソッド

machiminは株式会社が運営しているのである！としつこいほどお伝えしてきました。非営利目的だけど営利事業である、その事業内容を表すのにさまざまな言葉を用いましたが、誤解を恐れずにまとめてしまいます。machiminとは一種の実験場＝ラボ、だと言えるでしょう。失敗しても成功してもいい、そもそも失敗して前進することが大事というニュアンスが伝わるでしょうか。つまり、こうしたらどうなるんだろう、こうしてみたいな、というようなワクワク感を含む検証を自分の〝好き〟や〝得意〟を軸に行っていくという場です。そして、個人の〝好き〟や〝得意〟を「まちのコンテンツ」にしていきながら、主体性を引き出し、モチベーションを高め、人に喜んでもらうことで自己肯定感を高めていく仕掛けのあるラボです。

machiminは、対象者を限定しない多世代交流を推進している場所ですが、やはりメインターゲットになる人はいます。日中にまちにいて、活動範囲が地域社会に限定されやすい人(中学生以下の子ども、育休中の方、専業主婦、定年後のシニアなど)の〝好き〟や〝得意〟に注目しています。地域社会で過ごす時間の長い人の中でも、多様な人でコミュニティを形成することで、製作物や商品を地域で流通させようとしたときにターゲットの顔を想定しやすいという利点があります。反面、地域社会では人間関係なども限定されているので何らかの決定事項のみを行動の規範にしてしまうと、その点に賛同できない人や条件を守れない人が参画するのは困難でしょう。そこで、私は個人の〝好き〟や〝得意〟を地域社会の営みに結びつけようと思いました。〝好き〟や〝得意〟から始まることなら、自分がリーダーとして進めることができますし、各々が自身のペースを乱さず、他人の取り組みを妨げることなく、でも人を巻き込み、そしてまちを巻き込み、コンテンツ開発の過程で自分自身を開発していくことができます。〝好き〟や〝得意〟だけでなく、過去にやっていたことやコンプレックスが活きることもあります。ともに時間を過ごすまちで、気づきや学びや出会いを提供することができる最高の手法だと自負しています。

とはいえ、まだmachiminが始まったばかりのステップで何の道しるべもなく「さあ、〝好き〟や〝得意〟で、まちをよくしていこう!」と抽象的に言ってもなんのことやら、わかりません。でも、私が何を目指しているのかよくわからないなりに、「まちの人事部長」として何かを感じとってもらえるための材料を準備しました。

それが、流山本町エリアの「みりん」と「流鉄」だったということです。観光拠点から産品の情報を発信するだけでなく、コンテンツ開発をする過程で、自ずと上下の世代や新旧の住民をつなぐ機会を生み出すことになります。土地の由来を調べて知識を深めることで地元を尊重しおもしろがりながら、新住民がよそ者目線や若者目線で物事を捉えることができ、新たな事業や商品・サービスを生み出すことにつながりやすくなるのです。

個人の〝好き〟や〝得意〟がまちに着地すると、まちはエリアや特性があるため自由度が落ちます。落ちることで、抽象的なことが具体的なことになることが多くあり、コンテンツになりやすい印象です。自分の〝好き〟や〝得意〟が人の役に立ち、喜ばれ自己肯定感が上がり、新たなつながりができて、「その人のきっかけや原点」をまちに量産していきます。来る人、来る人に合わせてプロジェクトを組み、様々やりましたが、これを集約すると先述の5つのラボになりました。（本みりん研究所・廃材アップサイクルラボ・あそびとくらすラボ・こめとやさいとくらすラボ・Ryutetsu Area walking lab.）

また、コンテンツをつくり出す＝人材を育成するために私が意図的に行っていることもあります。

machiminは一般企業と違い、採用面接による選考は行いません。その代わりに、数日〜数週間をかけてヒアリングを行ったり、何かの様子を実はじっと見ていたり、SNSなどで本人が発信することも参考にし、膨大な量（1人あたりだいたい平均50時間くらいになるのかなぁ…）のコミュニケーションを取ります。これを、人材に対する〝先行投資〟と名付けています。大切なのは場より人。人が場を作るのですから、人に一番投資することにしています。その人材と先に交流するのです。その人がmachiminの「投資対象となりうるのか、どの程度投資するのか」といった点を主に検証します。（これが、インターン面接のようなものですね）

その後、最大限の時間をかけた投資をするか否かを決め、投資するならどのような関わり方や向き合い方をするか、「こういう〝好き〟や〝得意〟があるなら、こういうことが悩みなら、こういう希望があるなら、こうしてみてはどうか」ということを人によって変えながら実践していきます。（これがインターン内容の詳細検討ですね）

例えば、橋本さんにはまちの歴史を調べてイラストにするとき、取材や調査などの日々のコミュニケーションの中で、「インタビューし、それを文字に起こす力」、「相手に気持ちょく話してもらうコミュニケーション能力」、「使う表現に間違いがなく、誤解を与えず、誰も不快にしない力」、「難しい話をシンプルで端的な話に変換する力」を発見することができました。これらについては、本人に自分の〝強み〟であるとの自覚がないため、コンテンツ化されていないものです。「歴史が好き×イラストを描く力」以外の可能性を見立てて、他の強みと掛け合わせることで、レア度（＝この人にしかできない度）を上げていきます。もし、それが難しい場合は、まったく違う〝強み〟を持っていて、パズルのようにはまる可能性のある人と組み合わせることもあります。日本にイラストレーターはたくさんいるけれど、「流山に小さな子どものいる家族として転入し×まちの歴史に興味があり×地元の方と丁寧なコミュニケーションを重ねて情報を引き出せる×かわいいイラストで描くことができて×ダジャレが好き×流山本町で日々観光案内をしていて×社会的な課題を伝える仕事をいつかしたいと思っていて×夢は漫画家の×子ども食堂のスタッフをしている×元エンジニア」は絶対に日本に1人しかいません。

人にはいろんな要素があって、その1つひとつは特別なことでなくても、組み合わせていくと出現確率が低くなり、個性的な存在になっていくのではないでしょうか。組み合わせられる要素を引き出して見立てることさえすれば、まちにいる普通の人も日本でたった

1人の人であると「言いきれる」と考えています。まちに1人の天才より、まちの1人ひとりの可能性が散在していることのほうが、まちがおもしろくなる可能性があると思いませんか。レア度を上げていくステップを知っていると、どんなまちでも、どんな組織でも、これは再現できると思っています。まったく同じ状況・状態になるはずがないのは、そこにいる人が違うから当たり前なのですが、「machiminというあり方」はどのまちにもフィットでき、そのまちの魅力や個性や潜在価値を高めていけるのではないかと考えているわけです。

公共性と事業性の間にこだわる

machiminの開設から3ヶ月ほど経った頃、machiminを訪れた流山市の高齢者支援課の職員さんから「高齢者ふれあいの家事業※」をやってみないか」との提案を受けました。

※**高齢者ふれあいの家事業**　家にとじこもりがちな高齢者を対象に、民家などを借り上げた施設を利用して、ふれあい、情報交換など交流の場を提供して高齢者の生きがいを推進している団体等を支援する事業。

その頃はまだ、machiminとしての活動実績がほぼほぼない段階です。行政側からご提案をいただくなんて異例だといっていいのではないでしょうか。しかも、こちらは非営利目的だと言いながら「株式会社」なのです。もちろん、福祉事業を行うことは視野にありましたし、㈱WaCreationはmachimin＝コミュニティスペースの存在そのものを福祉サービスと位置付けています。

それでもなぜ、福祉事業の一翼を株式会社が運営するmachiminが担えると行政が判断してくださったのか、はじめは驚きましたし、なぜご提案いただくことになったのかもよくわかっていませんでした。

遡ると、流山市役所高齢者支援課の課長の石井由美子さん（2020年3月定年退職）との出会いは、私が市民団体を立ち上げたばかりのときです。子ども家庭部の「子ども・子育て会議」の委員採用面接のとき、石井さんは当時は保育課の課長をされており、面接官の一人でした。会議で定期的に会うようになり、私がどんな課題感を持っていて、どんな発言をする人で、普段どんな活動をしているか、「株式会社」になる前から見てくださっていて、私が非営利を目的とした事業を立ち上げたという趣旨もよく理解してくださっている方でした。

市内のふれあいの家は、同世代交流と異世代交流の2種がありましたが、当時あった

21箇所の大半が「同世代交流」であったことから、施設の運営を比較的若い層が担うmachiminでなら先進的な「異世代交流」の実現を目指せるのではないか、今後そのように発展していくのではないかと期待しての来訪だったようです。

いずれmachiminのような場所をつくろうと構想を始めた頃、「地域社会と組織文化は似ているのではないか」と仮説を立てました。

流山市全体を株式会社と捉えた際に自身の立場を人事部に見立て、市政に基づいた組織活性や人材活用はじめ、新規事業推進や関連する仕組みの開発、および運用に携わることに可能性を感じ〝心が躍った〟ことを記憶しています。一方で、実際にmachiminの運営を始めてみると、会社組織に雇用されて給与を得ながら仕事を与えられる人と、日々の生活や仕事の空き時間に地域活動に参画し仕事を作っていく人の前提・感覚は全く違います。

（当たり前なのですが…）

スタッフの仕事に対する意欲やモチベーションを維持するやり方については、machiminが非営利を目的とする事業であることだけでなく、大学の一年の一般教養で学んだ「人の満足をもたらす要因は承認・仕事・責任・達成等であり、不満足をもたらす要因は給与・対人関係・制度や管理等である（ハーズバーグの二要因理論・マズローの欲求

同時発生!
・ベーゴマする人
・けん玉する人
・縫い物する人
・宿題する人
・マンガ読む人
・おはじきする人
©はしもとあや
昔遊びのおもちゃや裁縫道具を置くことで多世代の遊びや会話が生まれます。

階層説）」ということを12年の企業生活の中で体感として持っていたことが大きく影響しています。machiminに参加する人には、金銭的報酬より〝本人にとってもっと価値があると感じられるもの〟を提供するつもりでいましたし、インセンティブは金銭ではない形で進めることにしました。まちを株式会社と捉えるのに、それでも株式会社の人材マネジメント理論では絶対に行えない制度を運用するおもしろさに、震えるのは私だけでしょうか。この矛盾を包含する感じは、3日くらい寝ないで語ることができます（笑）。

それでも、地域活動を主導するのは

日中、まちにいる人たちだと私は考えています。では、どんな人か。「投資に値する人かどうかを見極める」ときに注視しているのは、machiminの価値を高める能力の高い人…とか、流山市の地域づくりに興味があり今すぐ貢献できる人…ではありません。その人の〝壁〟が壊れたときに次の誰かのロールモデルになる可能性が高く（＝共感度の高い悩みがある）、誠実で嘘がなく、他者に優しく、自分が使える自由な時間があり、行動を起こす勇気をほんの少し持っていて、自分の〝好き〟や〝得意〟を活かして地域の新たな価値を自ら生み出せたらいいなと感じているヒトです。これこそが地域のリーダーの可能性を秘めている状態です。その上で、本人の性格以外にも配偶者や近親者の理解がありそうか？という要素も関係してきます。逆にスーパーマンや天才は連鎖を生まないので、投資に値しないと考えています。

地域の課題を解決するプレーヤーやリーダーを育てること、将来的に自走する地域リーダーの輩出を目指して活動することがまちの人事部長の仕事だと自負しています。人材育成を通じて既にあるヒト・バショ・モノの価値を上げることで地域の魅力を高めながら、まちづくりの担い手となりうるヒトをも生み出していくのが、machimin流の〝アップサイクル型（循環型）まちづくり〟だと考えます。

ビジネスの世界でイノベーションを起こすときに既存の強みを活かしたり、既存のモノとモノを掛け合わせたりするように、アップサイクルとは誰かにとって不用で、価値がないと諦められた光の当たっていないモノやバショの特徴を活かしたまま、まったく違うモノやバショにつくり変えてコトをうみだして、新たな価値づけをしていくこと、つまりもともと持っていた価値をアップさせて循環させていくことと言われています。

社会にとって重要だと思われること、あるいは社会が良い方向に進むために不可欠だと思われることをすれば必ず換金される、利益があとからやってくる…そう、信じておりますがみなさんはいかがでしょうか？（やってこなかったら、倒産しちゃいますけど…（笑））

公共性は他人の評価、少しずつ身についていく

国立大学法人千葉大学の工学部環境デザイン室は流山市の流山本町・利根運河ツーリズム推進課と連携して、流山本町を舞台として地域に興味を持つ人を増やし、地域観光を促

すデザインを実践するイベントを定期的に開催しています。

machiminを始めて半年、駅前に学生が集まっていたので気になり覗いたところ、大学院のメンバーで現場確認に来ていた佐藤公信教授を発見し、ご挨拶させていただきました。machiminの説明をした際に「活動は知っていて、まさに僕たちがやりたいことと同じだと思っていたので、学生とお話を伺いに行きたいです！」とお声がけくださいました。「工学部でもこんなにバリバリ文系の企画に興味があるのですか？」ときくと、最新の研究では地域をデザインしていくときに、文系と理系の融合が必要になっていると言われました。一度ゆっくりお話をした後に、「研究室の活動とは別に、一般教養の〝地域共生〟についてのクラスをコーディネートしているのですが、そこの講師をしてもらえませんか」という提案をいただきました。非常勤講師であっても国立大学でアカデミックと結びついた実績といえるようになり、「今後手塚さんがやりたいことを進める中できっと実績に見合った肩書きが必要になるでしょう。いつか役に立つかもしれません」と言っていただき、当時はそれがどういうことなのかよくわからないままでしたが、ありがたくお受けすることにしました。1年間で講義をするのは1回2コマだけでも、「千葉大学非常勤講師」といえるということにどれくらい意味があるかは、ここから1年後にはっきり実感することになりました。

また、流山市の都市計画課の方々と「景観って何か」というお話をしている中で、machiminでやっていることは「(今はコミュニティづくりでも)30年後の都市計画のマスタープラン作りになっていきますよ」と声をかけていただいたこともありました。私自身は工学系の知識や技術はありませんが、コミュニティづくりを通じて〈住民と一緒に景観まちづくりをする〉〈歴史を紡いで景観まちづくりにしていく〉ことは、これからのまちづくりを行ううえでますます重要になっていくと感じているそうでした。

はじめは「古民家でコミュニティスペースをつくろう」と思って始め「観光案内の機能も付けよう」と後から掛け合わせ、想定外のことだらけで始めたことが意外な形で実を結びはじめているように感じました。

そして、2020年3月には、千葉県立特別支援学校流山高等学園の堀子榮校長が、私の活動がTVで映ったのを見た数日後、お電話をくださいました。電話番号は基本的に公開していないので、きっとものすごく必死に探したのだと思います(笑)。実現したいことや今の課題感を共有いただき、4月より文部科学省により決められたコミュニティスクールに認定されるので、もっと地域に開いて「生徒が社会に飛び立つ前の練習を、まちというフィールドでやっていきたい」という想いを伺いました。machiminでやっている、人の〝好き〟や〝得意〟でまちをよくしていくというコンセプトに共感いただき、廃材を使う裁縫や大工仕事でのモノ作り、地域産品を活かした菓子などを提供するカフェ運営、地域の野菜や花を活かした商品開発、あれもこれも生徒のみんなとやれそうですねと盛り上がりました。何か一緒にやろうということになったので、ビジネスとしてパートナーを組むことと、生徒がmachiminのスタッフになることと、2つの選択肢を提案したのですが、先生からはどちらでもない、「学校運営協議会委員というポジションができました。学校の中にはいることができるタイミングです」とご提案がありました。「株式会社」の私が学校の中に入るということを校長先生が県に申請するわけなので、㈱WaCreationが運営するmachiminは非営利が目的で、営利が手段であることを他者に伝えやすくなるのではないか」という口説き文句に落ちて（笑）、ありがたくお受けすることにしました。

machiminの理念を体現 廃材アップサイクルラボとは？

「こうだったら、できたのに」「これがないから、できない」そんな壁をみんなで打ち破ったら、またみんなで前進します。

ないなら創る　ほしいなら創る　あるもの活かす　みんなでやる

まちに何かが足りない、何かを変えたい、ないものをほしいと感じたときには、自分たちで創るのです。それを楽しみながら、その過程でまちを知り、まちの方と仲良くなります。さらに、まちと一緒に自分自身も成長しながら、まちに必要なモノやコトを生み出していくのです。

もしかしたら、ある日突然、お金や通帳がなくなる、いままで自分の周りにいた人もいなくなる…という出来事が起きるかもしれません。何が起こるかわからないのが人生です。想定外の事態に遭遇しても何度でもやり直す力をつけるには、自分で稼ぐ力を身につける必要があると感じています。つまり、何もなくなっても、今あるものを活用して一から商売をする力。そもそも、少子高齢化の著しい現代日本では税収入が減っていくわけですから、いずれ税金で賄われる行政サービスが立ち行かなくなることも懸念されます。福祉事業も、寄付金や補助金だけに依存していたら、そうした支援がなくなったときに活動の存続が困難になるかもしれません。

machiminの建物自体がアップサイクルを体現。

まちづくりを通じて、必要なお金を住民自身が自分で稼げる社会をつくることが必要となる時代が、目の前に来ているのだと思います。

空きガレージだった場所にコミュニティスペースや観光案内所というまったく別の役割を与えて生まれたのがmachiminです。以前はタクシー置き場だった空きガレージは、不要なモノ、バショの象徴。そのため、場そのものがアップサイクルを体現しています。さらに、譲ってもらったものを集めて内装した空間は「廃材アップサイクルラボ」のショールームでもあります。ペットボトルのキャップやガチャガチャの空き容器をタンスの肥やしの毛糸で巻いた手作りの飾り、「100円程度で売るくらいなら今求められるモノに変えて使ってほしい」と持ち込まれた大量の着物と牛乳パックで作った車掌帽子、取り壊される自治会館のふすまをあまり布で飾った電車型フォトフレーム、などでmachiminの室内は構成されています。

また、よく「アップサイクルってリサイクルのことですか?」と聞かれますが、廃材アップサイクルは3R（リデュース：減量、リユース：再利用、リサイクル：再生）とは異なった価値観のもとで実践しています。3Rは無駄なごみの量を減らす、再利用する、再資源化することで環境にやさしい循環型社会を目指します。アップサイクルとは、環境に優しくするというよりも、ヒトやモノ、バショの知られざる価値を見出してアップさせ、循環させていくということです。

ヒトのアップサイクルとは、クリエイティブな力を最大限に引き出すことにあります。これが、廃材アップサイクルラボの本当の目的でもあります。

最初は○○が〝好き〟だから、○○が〝得意〟だからといった理由で集ったヒトと、無料で手に入るモノから始めます。失敗してもダメージがないですし、失敗を気にせずチャレンジがしやすいのです。今あるもので、なにができるだろうということを考えるトレーニングにもなります。1人で考えてもおもしろいアイデアはなかなか浮かびませんが、そこは、コミュニティスペースとしてのmachiminが手助けしてくれます。「こうしてみた

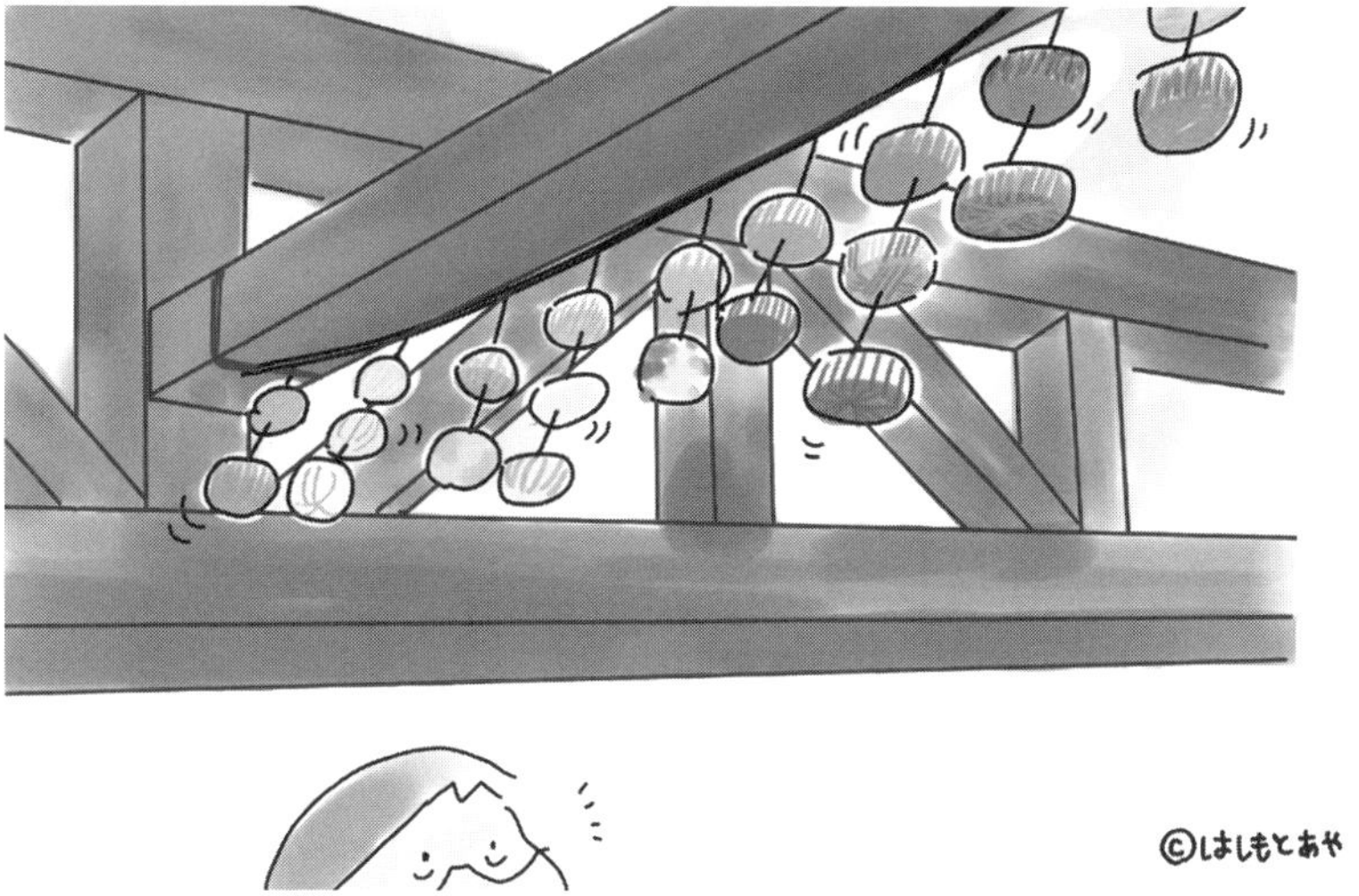

ペットボトルのキャップに毛糸を巻いた飾りは古い梁にもよく合います。

ら？」「ああしてみたら？」と多様な人の視点から助言がもらえるためアイデアが磨かれます。1人でやることと、みんなでやることの違いを体感できるでしょう。出来たモノに対していろんな人から評価やフィードバックをもらうことで、さらに改善を進め、機会をつくり有料販売をして、売れればそれは自分の価値だとしっかり認識できます。もとは価値がないと決められた廃材だったモノですから。こうしたプロセスを経るうちにヒトは自信がつき、自分で自分の価値を見直すことができるのです。「廃材だとは思えない！」「これは誰がやったんですか？」「どうしてこんなことができると思ったんですか？」と聞かれるときの気持ちよさったら（笑）。

こうして、まちの人事部長はこの空間にヒ

トを集め、地元企業や行政と協力しながら少しずつ手を加え、新たな価値「観光案内所という名の観光名所」を生み出しました。

最初のきっかけが何であっても、楽しんでいるときは興味関心は広がりをみせるもので、だんだんと自分が通っているmachiminというバショやその近辺、さらにそのエリアを気にかけるようになります。自信がついたヒトは自分の力を使ってみたくなりますから、「歴史をイラストで伝えたくなった」「実は自宅でお菓子を作ってみたんだけど」「アートの力でアップサイクルを！」「英語が話せるから何かで役に立てるかも？」など、まちにもっともっと貢献をしたいと感じ始めるケースは少なくありません。

コラム

縁側の小噺
万能調味料・本みりんがmachiminのうまみ・コクになる

観光案内所横の菓子製造所の謎に迫る

流山という土地で白みりんを使ったレシピの考案を始めてから、本みりんを創業以来200年以上生産している流山キッコーマン㈱とコラボレーションをしたい！という願い（妄想）がありました。「みりんの魅力再発見プロジェクト」をはじめた頃はまだ㈱リクルートに在籍していました。〝意志あるところに道は開ける〟と猪突猛進で活動する日々でした。（今思うと、本当に恐ろしいですね…怖いもの知らずとはまさにこのことかも…）実際に、唐突な連絡をしたにもかかわらず、予想外に訪問を許可頂き、緊張の初顔合わせとなりました。もちろん、プロジェクトに協賛品を提供いただくなどの形で交流が始まるのはずっと先のことです。

さて、みりんですが、聞いたことはあっても実際に口にしたことがないという方も増えているようです。みりんを口に含むとアルコール分約14%の米麹の甘みがじ

みりんが主役のお菓子を通じ、作る側も食べる側もみりんの魅力を味わいます。

わじわと広がります。「野田の醤油、流山の味淋（みりん）」と言われて久しい今日この頃、みりんだと思って使用した調味料が「みりん風調味料」だった！なんてこともあるとか。何も考えずに「みりん」という文字だけ見て安価なものを選ぶと「みりん風調味料」と間違えてしまいます。甘みを出すという目的しか意識しない場合は、より安価な「砂糖」を購入するケースが増えているのではないでしょうか。

砂糖がなかった時代に重宝した甘味調味料であったとか、女性に人気の酒で贈答商品にされたとか、祝いの席でお酒として出されたとか、料理の際にキッチンドリンカーのように主婦が口にしていたとか、そもそも養命酒にはみりんが用いられているとか…みりんの歴史を勉強する中で、聞いた話は数知れず。深いです。いにしえの時代を想起させるエピソード満載の調味料ですが、実はアレンジを楽しめる優れモノです。煮詰めてアルコールを飛ばして「みりんシロップ」にしてソーダで割ったり、または生クリームと煮詰めて「みりんキャラメル」にしたり、たくさんのレシピもありますので気になる方は「本みりん研究所」というサイトをご覧ください。

2章まででは、なぜ、machiminではみりんを紹介するのかを説明しました。ここでは、観光案内所横の菓子製造所の謎に迫ります。存続の危機に陥ってもどうしてもやめたくなかった理由、machiminにとって必要不可欠なものになるまでの「いまだから言える」話をお楽しみください。

菓子製造所@machiminオリジナルレシピ開発秘話

machimin開設前、市民団体のときに始めた「みりんの魅力再発見プロジェクト」（第1章参照）ですが、とある市内で試食会を行った際、持参したみりんのお菓子が早々に配布目標数達成！という快挙でメディアから取材が来たり、菓子メーカーから問い合わせが来たりもしました。

ところが、そこにきて新たな問題が発生します。ご存じの方もいるかもしれませんが、手作りのお菓子やパンを売るには「菓子製造免許」が必要です。そのため、どんなにおいしいみりんお菓子を作ったとしても、どんなに喜んでいただけたとしても、「商品」にすることはできません。百貨店での販売も夢ではない！高級ホテルで出てもおかしくない‼もしかして世界を驚かせることができるのではないか！！！等とどれだけ妄想膨らませても、販売することができないわけです。これはプロジェクトを始動してからわかりました（！）…えっ、知らなかったの？という声も聞こえてきますが、それくらい必死だったのだと弁解させてください。それにしても、レシピ開発できる人がまちにたくさんいて、子どもでも参加しやすく、それがお店で出せるほどにおいしくても、免許がないまま値段をつけると法律に関わってくる…こんなもったいないことを、見過ごすことができませんでした。ヒトの〝好き〟や〝得意〟を活かしてクリエイティビティが引き出され、稼ぐにつながり、まちが盛り上がる最高のコンテンツのように思っていました。課題は免許だけなのか…ということに気づいてしまい、そこにある〝壁〟を壊してしまいたいと思いました。

そこで、一計を案じてmachiminのコミュニティスペース横に併設したのが菓子製造免許付きキッチンです。

どのように人を集め、ブランディングしていったか？

菓子製造所では、できれば自分たちのまちで自分の〝好き〟や〝得意〟で「仕事」をしたいという意志はあるけれど、具体的に何をどうすればいいのかわからないと思っている主婦に向けたシェアキッチンとして公募し、みりん商品の開発から販売促進までのプロセスを学ぶ事業研修を約2〜3ヶ月間かけて行う〝つもり〟でした。そうしていろんなみりんの商品が、いろんな人が育ち生まれる〝イメージ〟をしていました。

この研修のポイントは2つです。1つは商品開発を通じてオリジナルレシピを考案することです。「受注ではなく仕事を創る」には、各々が商品を企画開発する必要があることです。もう1つは、受講者と商品の売り上げを50：50で分配することです。その理由は、各個人が生み出したオリジナルレシピの価値と、免許・商品開発アドバイス・販路の提供・プロモーションのそれは、対等・同等だと捉えている

レシピ開発時の試食とフィードバックをお客さんに依頼することも。

からです（それにより、私が〝先行投資〟したmachiminの運営費用や菓子製造所の建設費用を回収していく）。そうして共に、対等に成長することが目的でした。
「みりんの魅力再発見プロジェクト」のコンセプトを体現する一方で、「砂糖不使用で本みりんを51％以上使用」というルールを新設しオリジナリティを追求します。単にみりんを使用している商品なら、既に近隣の店も販売していましたし、普通にやっても仕方がないと思っていました。まずは興味を持ってもらう、違和感を出す、おいしい以上の価値を出す、ということをやろうと思うと、〝地域の主婦が考案して製造販売を行っている〟というストーリー以外のウリとなることとして、「みりんも使っている、ではなく〝みりんが主役〟であることを商品原材料表示で示すために、材料の総量の51％以上みりんを使用する。砂糖不使用で甘みや香りを味わってもらう」というルールを設定しました。（原材料表示は重量順に並べるルールなんです）

みりんは砂糖と比較すると、効果・扱いが違うだけでなく単価も全く違います。甘みを出すものとしては、みりんは高いのです。大量に含有するものとなると原価がとんでもないことになってしまいますが、裏を返せば洋菓子店や他の個人の方に模倣される心配も少なそうです。それだけでなく、洋菓子の世界で外すことができない存在「砂糖」の力でできていること（膨らませる際に高さを出すなど様々）が使えなくなることで、レシピ開発は難航しますが、パティシエでもあり料理講師でもある佐藤さんの助言を受けながら独自ルールを遵守することで、世界にまだないお菓子を作ることができイノベーションが起きるかもしれないと思っていましたし、メディア性も高まると思っていましたし、machiminは「営利を第1目的とはしていない株式会社」が運営しているという説明にもなると思っていましたし、こんなこと、みりんのまちでないとできないと自負していました。

プロジェクト最大の〝壁〟は、どんな人に声をかけるか

はじめは、「自分で作ったものを販売してみたい」「いつか自分の店を出したい」という人に製造販売が可能な免許付きキッチンをシェアするイメージでした。

ところが、machiminのスタート早々、計画は難航します。みりんの魅力再発見プロジェクトの参加者に声をかけたり、SNSで募集をかけたりしてみてもキッチンの借り手はみつかりません。自宅でお菓子やパンを作って親しい人にふるまうことが好きな人はいても、すごいと言われるものを開発するという「遊び」をしてみたい人はいても、それを仕事にしようとまでは考えていない人がほとんどだったのです。まぁまぁな金額をかけてキッチンを作っているので、いきなり費用回収できないかもしれない危機です（笑）。

そこから方針を変えて、先ほどのレシピ開発からフォローする現在の事業研修形式での募集を始めました。それでも、人は集まりません。なかなかキッチンに関する事業を本格的に始動できない中で、自分が作ったお菓子を販売することを仕事にしたいと思っていたわけではない佐藤さんに協力してもらい、共同で商品開発や店頭販売を行い、なんとか予定通りいこうともがいていたのに、佐藤さんの妊娠が発覚します。

「おめでとう！」と言いながらも一人になったら頭を抱えてしゃがみ込みました（笑）。ここはまちの人事部長として絶対に使いたい場所であって、そのために免許を取ったのであって、みりんのお土産を販売していると看板にも文字を入れてあって（！）簡単に諦めるわけにはいきませんでした。佐藤さんが里帰りをする前に、私でも比較的製造しやすいみりんキャラメルクリームパンをなんとか商品化し、佐藤さんがキッチンに来なくなってからは、週7日毎朝オープン前に一人で黙々と作っていました。一個200円程度で、1日6～12個の製造。固定ファンがついているわけでもなく、天候などにより売れるかもわからず、研修希望者が現れるまでの約10ヶ月間は、ただただ不安を募らせながら、（もう本当に）意地でみりん事業を維持していました。やりたい人が来るまでやめないぞ、私はやめないぞ、と。

研修に参戦する主婦現る

このタイミングで、流山市内に在住の小林智映子さんが、みりんと関係ないイベント「藁フェス」の企画者を募った際、参加者を募っていると間違えて応募されました。家族の都合で引っ越してきたばかりで知り合いも少なく、仕事を探してもなかなかうまく進まず、専業主婦業が長い自分に自信がないようでした。自分を変えたいという思いはあれど、何をしていいのかもわからないので、ただふさぎ込んでいて、正直すごく暗かったです（笑）。何もできないといっても、子どもを2人育てていて、毎日ご飯を作っているのですから、「クッキー作れませんか？」とお誘いします。「クッキーくらいなら…」と小声でほぼほぼ私に押し切られて参加となります。イベントの企画運営と、みりんクッキーで小林さんがどう変わっていくのかは第3章で改めたいと思います。こうして一人実践者が出ると、人が見てわかりやすくなったのか、急に3人続きました。

大量受注からの「ひだまり」の青年たちへの作業発注

2019年2月には、みりん菓子お試し1500セットを大型受注しました。依頼主は、みりんを使ったマシュマロやクリームパン、クッキーなどを食べたこともある方でした。また、私は仕事を受ける条件として「スタッフが開発したレシピ」をそのまま採用してもらうことを求めていましたが、この条件にもしっかり合致しました。約60万円の依頼でしたので、研修を受ける人にとっても頑張りが大きな金額となって返ってくることを実感できる機会となりましたし、私にとっても元手があると安心して投資に回せる機会でもありましたし、当然二つ返事でお受けしました。

次に考えなくてはいけないのが、どうやって期日までに間に合わせるかです。受けてから考えました（笑）。効率的に生産・包装作業の段取りを組んでも、いつもの5倍のスピードを求められる計算…。研修者と私だけでは明らかに足りないので、佐藤さんにも分担してもらって作業できるようにお菓子3種類で1セットの詰め合わせにしましたが、それでも大量の包装、梱包に追加で2名が必要でした。（佐藤さんには、よく引き受けたねとドン引きされていたように記憶しています）

そこで、包装や梱包は、不登校の子どもたちの居場所「ひだまり」という場所にいる青年たちのうち2人にバイト依頼することになりました。その仲介をしてくださったのが、「ひだまり」を立ちあげた元小学校教員の岩根宏さんです。

一度、ドロップアウトしてしまうと社会での活躍が困難になってしまう現代日本において、彼らの自立（リスタート）を支援するために寄り添う居場所が「ひだまり」です。何年も一緒に活動する中で、もう一歩社会に踏み出したい、働きたい、という段階にいる青年がいました。岩根さんは何度もmachiminに彼らを連れてこられ、彼らにとって社会とつながる場所にできないか、職場のような存在にできないかと模索されていました。ボランティアであってもスタッフとしての自覚をもって接客したり、販売した際にお金をやり取りしたり、主体的にやるべきことを探したり、そういった体験を前提に、商品開発をする研修にも参加してもらい、うまくいけば稼げるようになるといいなと思っていました。その矢先に、この1500セットの案件がきて2人を採用する必要が出たのです。通常は、雇用ではなく事業主として稼ぐことを研修のコンテンツとしているので、当然時給を払うバイトを雇わずにきたのですが、彼らに対しては「給料をもらって仕事をする」という体験が「研修」になると考えて、時給1000円のバイトとして参加してもらうことをお願いしました。包装や梱包という作業は比較的シンプルなのできっとできるだろうと思っていたのですが、おそらく彼らにとって緊張した最初のバイトでは、たくさんの失敗がおきました。予想より作業がうまくできず凹み、注意を受け萎縮してしまう、なんてことも少なくありませんでした。回を追うごとに、消極的になり、怒られるのではないか、迷惑をかけているのではないか、邪魔になっているのではないか、そう感じているのが手に取るようにわかりました。私以外のサポートが必要だと感じたので、佐藤さんが製造する日と重なるように設定したこともあります。青年たちへの報酬は、彼らからすると見たことのない金額だったようです。1人からは給料辞退の申し出がありました。それでも、「わからないことを質問するのは恥ずかしいことじゃない。失敗より、そのあとの行動が大事。期待に応えたいと思うなら、自分を成長させることをあきらめないように」と伝えて報酬を渡しました。目的は、働くということに触れ、その経験を積んでもらうことでした。

青年たちの参戦のおかげで、無事納品に間に合いました。ありがたいです。私自身もそれまで3000円分くらいの依頼が大きいほうでしたので、約200倍のお仕事だったわけです。㈱リクルートにいるときなら、きっと経験のある人を一気に雇用して体制をとるやり方をしていたので、私自身が本当にできるのか？とドキドキでした。お試しセットを製造する過程では、みりんの魅力再発見プロジェクトが単に「みりんの魅力を伝えること」にとどまらず、「その過程で、ヒトを育てること」が目的なのだとプロジェクトメンバーの間で共有するきっかけにもなりました。

青年たちは私のいないところで、「本当にありがとうございました。お世話になりました」とサポートしてくれた佐藤さんに感謝を伝えたそうなのですが、そのときはいつも見ていた不安そうな顔が一変し、たくましい顔になっていたことが印象的だったそうです。事後に佐藤さんから、machiminでの自身の存在価値を感じることができたと感想をもらいました。妊娠・出産をきっかけにmachiminから距離を置いたときに、そのまま戻らない選択肢もあったそうですが、助っ人としてキッチンに入り、失敗と仕事に向き合う青年たちとのやりとりを通じて「自分のやっていることがmachiminの役に立っている」と、実感したそうです。

医師に看護師というパートナーがいるように佐藤恵美さんという私のパートナーについて

佐藤さんは秘書的な業務をしてくれる「パートナー」になってくれました。どういうことなのか、順を追って説明します。

私にとって、佐藤さんという料理のプロに相談に乗ってもらえる機会は貴重だったので、当時大阪にいた佐藤さんにオンラインでレシピ相談をしていました。産後、流山に戻ってきて落ち着いたであろうころに「私が赤ちゃんを抱っこしておくから、キッチンに入ってもらえないか」と先述のように大量発注のヘルプをしたのですが、そのとき「一人になり、集中して、働く」ということが新鮮で、リフレッシュできたと感じたとも言っていて、以来たまに来てくれるようになりました。親元を離れて流山で専業主婦をしていると、子どもを預かってもらえる場所がなく、自分が体

「コツコツ丁寧」が得意な佐藤さん（右）。菓子製造の枠を超え関わってくれます。

調が悪いとき旦那さんに会社を休んでもらうこともあったようです。疲れを感じても、一時保育で預けるという選択肢は佐藤さんにはなかったそうです。なるべく、旦那さんの力を借りずに一人の時間を作るにはどうしたらいいか…と考えた結果、保育園に入れるしかない、そのために働くしかない、に行き着きました。そうして佐藤さんは個人事業主登録し、みりんお菓子を作ればmachiminが買い取ることを前提に、扶養の範囲内で週に2回程度キッチンでお菓子を作ることになりました。

実際にやり始めてみると、週に

2回では足りなくなり週に3回になり、他から仕事の依頼もあり、すぐにキャパオーバーしてしまいました。そのうちに、「自分の一番心地よい働き方は何か?」と悩むようになり、次第に「私は新しいことをやるのは好きではないが、繰り返しの中で少しずつ良くしていくこと、効率を上げていくことに喜びを感じている」とわかってきたようでした。「効率的に」「安定して」がテーマになったので、それなら、machiminの役に立つとわかっているお菓子を安定的に作り続けてもらい、時々新商品の提案やほかの人へのアドバイス、そして私の経理や総務など事務をお願いできないか…そうしてmachiminの基礎を一緒に支えてもらう「パートナー」になってもらいたいとお願いしました。不安定な挑戦のために、必ず安定が必要でした。

machiminに関係する人は、厳密には㈱WaCreationの協力者と、コミュニティスペースのmachiminで運営に携わる人の二種類に分けられます。橋本さんをはじめとする、この本で紹介する方々のほとんどは後者ですが、佐藤さんは少々特殊なキャラクターです。佐藤さんは、共に活動していて徐々に「お医者さんが受付をするようなことを見ていられない」という気持ちが湧いたようです。両方やると、本来やるべきことができなくなるし、遅くなる。そこで、病院には受付や看護師さんがいるように、佐藤さんはmachiminの事務的な作業をしようかと名乗り出てくれまし

料理講師でもある佐藤さんはワークショップでも本領発揮。

た。つまり、みりん事業に関わっている時にはmachiminの一員なのですが、machiminの事務的なバックオフィス作業をお願いするときには㈱WaCreationの一員となるのです。

どうして、佐藤さんがこうしたポジションを取ることになったかというと、佐藤さんは特に「これをしたい」がないということです。本人談です。〝好き〟や〝得意〟はあるけれど、「なにかになろう」とはしていません。自分が何かを実現するためにmachiminに来るのではなく、「自分に何か力になれることがあれば手伝いたい」というのが佐藤さんのスタンスなのです。そういう関わり方も私の中でＯＫだということは、佐藤さんとの関係性の中で気づきました。

事務の仕事に関しては、お菓子を作りに来た前後のすき間時間に対応してくれています。はじめは、秘書として出勤日数も定めて業務委託でやってみる予定だったのですが、かえってその方が大変だからと現在の形になりました。その代わりに、佐藤さんの苦手なこと、例えばサイトを立ち上げる・営業する・車で送り迎えする等は、私がやらせてもらっています。

CHAPTER

3

machiminには なぜ人が集まるのか

まちを学校にするために
センセイを集め、育て、実践する

２０１８年、machiminでは手あたり次第年間で約１００本のイベントを開催しました。まずは知ってもらうこと、興味を持ってもらうこと、やってみること自体が目的でした。イベントの種類はイベントの数だけあるといっても過言ではありません。２０１９年はそこで集まった人のうち、スタッフになってほしい人の〝好き〟や〝得意〟が活き「やりたいこと」をやるために壁を壊してみる研修として年間約50本は開催し、同時に新しい人が参加する入り口にしていました。２０２０年は新型コロナウイルスの影響で一時的な休業を余儀なくされたものの6月から活動を再開し、前年のイベントの発展版として約5本は開催しています。自主的になってきた3年目は私が主催する必要がなくなったとも言えます。また、イベントが開催されていない時間帯もmachiminに立ち寄ってそれぞれが自分の目的に合わせた活動を行っています。そこで、ホームページではこのように説明しています。

ふろしきですか？
かわいい!!
着物からって
こんなに素敵に
できるんだー
どんぐりが
お気に召した
様子。
©はしもとあや
着物はワンピースの他にも風呂敷やクッションカバーにして販売。

・どんな場所かは人によって違う

子どもからシニアまで、多世代多様な人が、それぞれ何かをしにくる場所です。お客さんは、雨宿りをしに、宿題をしに、チャレンジをしに、昔遊びをしに、悩み相談をしに、友達作りをしに、まちの情報を聞きに。スタッフは、みりんのお菓子を作ったり、廃材雑貨を作ったり、演奏したり、企画したり、絵を描いたり、実験研究したり、サテライトオフィスとして働いたり。それはそれは、人それぞれに来る目的が違います。だから、結果的にmachiminという場所がどんな役割を持つかはその人

によって異なるのです。（㈱WaCreation ＨＰより）

machiminのイベントでは、〃好き〃や〃得意〃を活かして「やりたいこと」を突きつめようとしている人が〃センセイ〃になり、テーマを決めてみんなで実践から学びます。センセイと、個人とまちを掛け合わせてmachiminのコンセプトに沿った内容で企画するのですが、目的は「儲けること」ではありません。金銭以外の報酬、つまり生涯学習の推進だと理解してください。例えば、自分がやっていることに共感する人を集めるための企画、自分のやっていることがどれくらい他人に評価されているか試す企画、自分と同じ思いを持った人がどれくらいいるか確認する企画、自分が今できないけどできるようになりたいことをやってみる企画、自分がいつかやってみたいことの一歩を踏み出してみる企画、自分がイベント運営側になっていくために練習で企画運営してみるための企画…キリがないほど無限に…。

あるものを使う、活かすということに加えて、絶対に赤字を出さない、運営費は最低でも稼ぐということに強くこだわっています。挑戦を怖がる理由を除去したいからです。失敗しても損がない、失敗とか成功とかそんな基準で判断することができない、どうなるのかな?とワクワクすることに重きを置いたラボとしてやっていくためです。参加者にも運営者にもメリットがある形で組んでいきます。

そうして参加した人は、このイベントが研修かどうかなんて、知ることはありません。ただ、興味があるから、自分も好きだから、おもしろそうだから参加されます。運営している側があまりに楽しそうなので、つい自分もやりたくなってしまった、というテンションで新しいスタッフが誕生することは珍しいことではありません。むしろ、そうして、次のイベントが新しく企画され、年間ですごい量になっていくのです。

センセイは、何かを教えてくれる人ではありません。誰よりも、楽しそうに、夢中で挑戦し、前進している人です。唯一教えるとすれば、それは知識ではなく「取り組む姿」です。

日刊machimin　1／29（岩根）

久しぶりのmachimin。

前回は、machimin新年会に間に合わず残念でしたが、今日はコタツに入ってゆっくり話ができました。それにしても北風の冷たい寒い日でしたね。

まちの学校について話し合う日。

改めてみなさんの自己紹介に聴き入りました。そして、みなさんがmachiminに寄せる想いを感じることができたような気がします。

まちにみんなが集える場所、子どもからシニアまで異世代の人たちが安心して集い、交流し、お互いに支え合いながら、学び成長できる学校が出来たらいいなぁ、と実感した一日でした。（岩根）

ときには、このように「まちの学校ってなにか」「どんな学びの場だといいと思うか」を集まって話し合うこともあります。それぞれがやりたいことを持ち寄って場をつくりながら、まちづくりに楽しく参画していく方法を模索しています。

それでは、いくつかのイベントを例に挙げて、そこにいるセンセイやmachiminの日常の様子をのぞいてみましょう。

糸かけ数楽（すうがく）アートで、数学の神秘に気づく
――あそびとくらすラボ

machimin開設後1ヶ月で人を集めた「糸かけ数楽アート」は、予約をかけるといつもすぐに席が埋まるmachiminでも人気のワークショップの1つです。

木版の上に円を描くように数十本ほどの釘を打ち、色とりどりの糸をかけて幾何学的な図形を作り出す糸かけ数楽は、一定のルールを覚えれば年齢に関係なく気軽に遊べるアート作品です。

このワークショップを企画したのは、近隣の野田市に在住の岡田晃次さんです。個人でも小・中学生向けの創作教室を開業し約28年になるようです。教室では、受験のための勉強を教えるのではなく、おもしろくっておもしろくって夢中になっていたら知らぬ間に身についていた、とか、もっとレベルを上げたくて自分を止められなくて勉強した、という状態を大切にされています。

岡田さんは、自らが立ち上げた糸かけ数楽アートデザイン協会の活動もされていますが、

machiminにはそれを流行らせたくていらっしゃったのではありません。普段教室に通っている生徒の母親がmachiminの立ち上げにかかわっていて、その母親が担当する流鉄沿線の歴史を知るツアーをSNSで見つけ、参加してくださったことで知り合いました。いろんな話をするうちに、〝まちを学校にしたい〟と奮闘するmachiminへの興味を深めた岡田さんは、「個人事業を行っている人間として、様々な困難を乗り越えてきた経験を共有するなど、自分ができる役割があるのではないか」と考えたそうです。人を集めた実績や、目指しているところが表現できるようなイベントが開業1ヶ月でできると、弾みもつきいいだろうと4月末の1ヶ月記念に、第1回目のワークショップを提案して開催してくださいました。私は体験したこともないものでしたし、準備するパワーもない段階だったのですが、「任せてくれていいよ」と言われたのもあり、すべてをお任せしました。普通なら、打ち合わせもなしに、知らない人に任せられないのですが（笑）、お任せできたのは岡田さんが醸し出す、安心感とワクワクを私自身が感じていたからだと思います。後にも先にも、企画にも準備にも何も関与せずお任せしたのは、岡田さんだけです。

5月以降は、イベントから講座形式にして継続できたらいいなと思い、講師候補を探しました。楽しんでいる人でないと楽しさを伝えられないと思っているから、講師の条件は「楽しんでやれる人」で、岡田さんと私で考えは合致していましたか、といいますか、岡田さんとは全体的に考えが似ていました。
1ヶ月記念のイベントで楽しそうにやってくれていた育休中の鈴木裕子さんに講師をお願いしましたが、「おもしろそうだからやりたいけど、糸かけの体験を1回しただけで講師なんて大丈夫かな」と不安がっていました。同じタイミングでみりんお菓子を買いに来たお客さんである専業主婦の渡辺恵莉香さんが、コミュニティスペース内に飾っていた糸かけをふと発見して目を輝かせ、「やってみたいな〜」とつぶやいていたのを聞き漏らしませんでした。なんとなく、鈴木さんと雰囲気が似ていると感じたので、「教えるので講師を一緒にしないか？」と急すぎる形で強引に誘いましたが（笑）、笑いながらOKをくれたので、岡田さんもサポートに付いてくれるからと再度鈴木さんを誘い、講師が2人誕生します。（1人は1回だけ体験、1人は未経験で講師をやっちゃうという凄さです）
このイベントを準備する過程で、子連れの主婦がイベントで主体的に活動するにはどんな運営体制がいいかと試行錯誤することにもなりました。子どもを預けてまでやることじゃないと話していたのは最初だけで、次第に2人は保育園の一時保育を利用し参加するようになりました。また、鈴木さんは知らない道は不安だから運転を極力しないようにしていたのに、業務用のミシン糸が余っていた方がたまたま近隣にいらしたので車で取りに行ってくれ、そうこうしているうちに車を運転することにも慣れて行動範囲が広まり、小さいながらもライフスタイルの変化を体験したようです。さらに、起業している人や糸かけ数楽の専門家をはじめ、machiminに訪れる幅広い世代の人々と関わる中で、「自分の〝働く〟について」「生活で何を大切にしたいか」を考えるきっかけになったそうです。約半年間一緒にやり、一緒に人気講座に育て、TV取材も来て、新聞にも出て、もう止まることを知らない感じになっていたのですが、ちょうどそのタイミングで鈴木さんはパートナーの仕事の関係でアメリカに行くことになり、渡辺さんは第三子を妊娠したことから、講師を次の人と交代してワークショップを継続することになりました。

着物がワンピースに
――廃材アップサイクルラボ①

第1章、第2章を通じて、machiminが「廃材や不用品」のアップサイクルで構成されているとお伝えしました。廃材アップサイクルラボはmachiminのオープンに向けた企画では終わらず、開業後も運営に必要だと感じたものを店頭の看板に書くことで、道行く方やお客さんやスタッフが自宅で必要がなくなったものを持ち寄ってくれ、こうして集められた炊飯器、茶箱、ちゃぶ台、テーブル、扇風機などの備品をそのまま再利用したり、着物、毛糸・布地を仕立て直し商品にして販売することでmachiminの運営費用に充てています。

　廃材アップサイクルラボについて説明する上で欠かせないのが、大橋緩子《ふさこ》さんです。machimin開業の前年の2017年11月に流山市内で開催される「Harvestival（ハーヴェスティバル）」にDIYのコーナーがあることを知っていた私は、もらった「畳屋さんがいらなくなったい草」を持って誰かいい人はいないかとスカウトに向かい、その際に出会いました。

　大橋さんは出店者の一人でした。様々な作品を販売していましたが、私の目に留まったのは「不用になったすだれを使った、フィンランドの伝統的な装飾品であるヒンメリ」です。すごくおしゃれな作品で見惚れました。その発想だけでなく、それが素敵に見えるような配色に惚れ込んで、「い草を使ってクリスマスのオーナメントを作れないですか？」と声をかけたところ、楽しそうだと快く引き受けてくれます。完成したものはどれも可愛く、今までに見たことがないものばかりでした。自分で1から創作する力がある人で、元が何かわからないくらいに、想像できないものにアップサイクルする力がありました。machiminのオープン時のリノベーションで、ペットボトルキャップに毛糸を巻き、それを連ねて、場を華やかに彩る飾り付けを作ったのも大橋さんです。（まだそのままあります）

開業後は、廃材アップサイクルプロジェクトのリーダーを快諾してくれ、ピスタチオの殻でピアスを作ったり、持ち込まれた壊れた古いネックレスをカーテンタッセルに変えたり、アップサイクルを体感するイベントを行ったりしていました。

日刊machimin 9/12（手塚）

オープンしてから、日々飛び込みがあり、着物類をはじめとし、毛糸やミシン糸、かき氷器、最近では囲碁将棋、いろんなものを頂いています。着物をどう活用しようか悩んでるうちに、随分多種類展開しています（笑）。

みなさん、思い出・思い入れがあるからこそ捨てられない、意を決して売りに出したら100円、はたまた10円なんていう悔しい金額をつけられる…！　ならば良い使い方をしてくれる方にあげたい、託したい、と、machiminに持ってきてくださいます。

初対面の私に、お母様の思い出を話しながら泣いてしまう人がいたり、市川にある実家に何回かに分けて取りに行っては届けて下さる方がいたり、娘はいらないというが大切な思い出だから捨てたくはないと初めて出会う私に提供してくださるんです。

どんな使い方をしてほしいですか？　なにか指定はありますか？と聞いても、誰一人、指定なんかしない。転売して運転資金にするでもいいとおっしゃる。何にしたか報告します、というと、そんなことしなくていいともおっしゃいます。あまりにたくさんの方のお気持ちを受け、そもそもこの場所に初めてくるのに？　私とは初めて会うのに？と疑問は深まります。一人や二人ではないから、なおさらです。ハサミを入れたものもあります。7枚はほどいて反物にしてからカーテンにしました。まち歩きに使用したり、海外の方に着せてあげたり、小物に変えて商品にしたり、machiminの備品にしたりしていきます。
ご興味あられる方、知恵と力を貸してください！　ミシンは3台、うち1台は業務用です。（手塚）

またある日は、こんなことも。

日刊machimin　5／13（手塚）

なかなかレアな出来事が起きました。
「着物買取してるって聞いて。母が施設に入り片付けをしていて、かなり古いのが

大量にあるんだけど捨てるのはなんだか気が進まなくて」と。（正確には、買取ではなく、引き取りしての活用です）

これはよくある話なのでレアではないのですが、次です。みると、今まで見たやつよりはるかに配色や生地が古く、明治に生きた祖母のもあるとのことで、なかなかだなと拝見していたら、下敷きにしていた新聞が「昭和9年」と!!右から読むタイプ！

「KIKKOMAN 創立50周年」なんて印刷してある風呂敷まで。いま、創立200年は越されていますから、なかなかの古さですよね!?

きゃあきゃあいいながら着物たちを見ていて、ふと、趣味の話なんかをしていたら太鼓がお好きだとおっしゃるので、前にもう使わないからと頂いた太鼓をお渡ししいくつか試し叩きしたら、私がやるのと全く違う音が出るのでワイワイしました。

そのうちの1つにかなり珍しいのがあったようで、かなりテンションがあがっているようだったのでお譲りしました。その方は盲目でいらっしゃいますが、支援者の方と自宅を片付けたり、走ったり、音楽を楽しむ会を開いたり、参加したり、フルートと太鼓で活発に遊ばれているご様子です。今日もカバンにフルートが入っていました。

machiminの太鼓もカバンに入れて、「わらしべ長者みたいな1日だった」と言っていただき、こちらこそなので、最高の物々交換ができたと大興奮です。さて、着物は何に加工しますかね。チームで相談です。（手塚）

2019年1月に着物の仕立て直しができる人を追加募集すると、以前からmachiminを支援してくださっていた足原登志代さんが加わってくださいました。足原さんはお花にお詳しく、ガーデニングでまち歩きを増やす市民活動を15年していて、また、まち歩きする人を増やそうと着物のハギレを活用し「つるし雛」を3年もかけて大量に作られ、それを流山本町エリアに飾って5年です。洋裁をなさっていたので、着物をワンピースやシャツに変えることもお得意でした。

着物のアップサイクルというと、私が作り出した現代文化的手法？のように思う人もいるかもしれませんが、もっと身近なものだと思っています。日本には昔から「もったいない」という文化があったわけで、カタカナだと高度に感じますが、実際に行動に起こしてみるとそうでもありません。

足原さんはそれらを入り口にスタッフになってくださいましたが、今では私の母親のように「ちゃんと掃除しなさい」「ご飯を食べなさい」「疲れたら休みなさい」と言いつつ、父親のように「今まで成し遂げられなかったことをあなたはやるかもしれない。期待するだけでなく一緒にやる、夢を追おう」と言ってくれる方です。

ラボそのものもアップサイクル
――廃材アップサイクルラボ②

2019年4月には、コミュニティの活性化を目的に地域情報サイト「ジモティー」との実証実験を行いました。品物の掲載情報が豊富に揃い、利用料も無料なことから、machiminでも開設準備のために実証実験を行う前から利用していました。具体的には、「ジモティー」のサイト上に「machimin」のアカウントを開設し、廃材（不用品）を捨てるに捨てられずに困っている人からモノを譲り受け、machiminとして出品し受け渡しを代行することで、オンラインからスタートするリアルな出会いを模索しました。Webサイト上のプラットフォームを通じた取り組み以外にも、地域のコミュニティなどのリアルな空間に根付いたサービスにも幅を広げていきたいというタイミングだったようです。とはいえ、誰かの自宅を拠点とするとプライバシーが気になる方もいるため、シニアや子育

受け渡し時はお互いが仕事に込める思いを話し込むことも。

て世代が集まるmachiminのコラボレーションでどんな反応があるのかを見てみようという話になりました。

不用になったものを捨てるにもお金がかかりますし、ごみが増えて環境によくありません。まだ使えるものがあれば、捨てるよりも掲載費無料の「ジモティー」を介して、近隣の必要としている人に譲るというサービスは共感できます。一見、3R（リデュース：減量、リユース：再利用、リサイクル：再生）だと感じるかもしれませんが、私にとっては違いました。

つまり、こういうことです。駅前の空きガレージという不用だったバショに、誰かにとって不用だったモノを集め、新しい価値を生むために使ったツールが「ジモティー」です。「ジモティー」でもらった業務用の毛糸でペットボトルキャップをつつみましたし、「ジモティー」で集めた大量の植木鉢で分けていただいたお花を育て店頭に置いては、それを見た人がまたほかのお花を分けてくれたり、花に詳しい人と新しい会話がうまれたり、おすそ分けすることで結果的に欲しいものをいただくなんてこともありました。machiminにある8割は、「ジモティー」でもらったものでした。そのことによってアップサイクルがすすみmachiminの立ち上げ費用・運営費もおさえられていました。モノを買うという発想がなくなりつつあります(笑)。

今回の実証実験でいろいろ試したおかげで、ユニークな品物や新しいお客さんと出会える機会も増えています。例えばウェディングドレスです。自分の思いがこもっているドレスを安く売るのも嫌で、誰にでもあげられるわけでもなくずっと持っていたけど、「もし事情があってドレスを着られない人・着てみたい人がいるなら、差し上げたい」とmachiminに寄贈されました。「今ある力を持ち寄って、まちで結婚式ができたらいいな!」と発信したことをきっかけに、ブーケを作れる人、ケーキを焼ける人、お色直しで着物を着付けられる人、カメラが得意な人、コンサートをしている人、が集まりました。ウェディングドレスのまままちを歩いたり、電車に乗ったりして、道行く人に祝福されてほしいなぁ、まちが思い出の場所になったらいいなぁ、こうしたらもっと喜んでもらえると思うなぁ、気持ちが集まって企画イメージが湧いて仕方ありませんでした。足りないものは「ジモティー」で探せばありそうです。ただ、肝心のまちで結婚式を挙げたい人がなかなか集まらなくて、まだ、1年スタンバイ中なのです。（machiminで結婚式をしたい人を待っていますね！）

不用になったものの受け渡しを通して新しいコミュニケーションがうまれコミュニティは進化するか・運営に好影響があるか、そこから利益を上げる事業に発展させられるか、約4ヶ月間試行錯誤させてもらいましたが、前者は成功し、後者は難航しました。この協業を行う上では、「ジモティー」を運営する㈱ジモティーの代表取締役の加藤貴博さんと私が㈱リクルートで同じ部署で働いていた経験も関係しました。加藤さんとの話し合いを経て、実質的な活動内容をどうするかはmachiminの裁量に委ねてもらい、結果を約束して契約するのではなく、実証実験というかたちにしてくださったのです。それでも後者で結果を出すことができず、こうすればうまくいくだろうという期待もはずれ活路を見いだせず、本件は辞退することになりました。

このことにより、悔しい、申し訳ない、という気持ちより、「いつかパートナーになりたい」と願って、自分を成長させていきたいと強く決意しました。引き続き、machiminをつくり拡大するときは「ジモティー」を使って立ち上げる、不用品を集めアップサイクルして軍資金を稼ぐということをフォーマットにしていこうと思っています。地域の活性をテーマにしたときに、そこに「ジモティー」があるとどうなるか、どう活用するといいか、実験し続けます。（勝手に（笑））

藁フェスも開催する農業体験
――こめとやさいとくらすラボ

第2章では、不登校の子どもたちを支援する「ひだまり」とみりんの魅力再発見プロジェクトの接点となったみりん菓子お試し1500セットの試みについて紹介させていただきました。岩根さんは、「ひだまり」の他にも2011年から流山市の前ヶ崎で「流山お田んぼクラブ」の代表もつとめておられ、青年たちと運営されていました。

青年たちにもっといろんな大人と出会ってほしいと考えていた岩根さんは、「流山お田んぼクラブ」の田んぼに人を呼びたいという思いから、田植えや稲刈りなどのイベントを地元親子向けに運営されており、今年で10年目になります。息の長い寄り添った活動をご本人が誰よりも楽しんでいらして感動します。同時に、稲刈りした後田植えまでの期間は使われなくなってしまうことを知り、その期間は「ただの広い土地」ということなのか？とワクワクしました。普通の公園ではなかなかできないことをやって幅広く大人や子どもを集め、田植え稲刈り以外でもその土地に愛着を持てるようになってほしいですねと、話しました。

これには一緒に運営してくれるプレーヤーが必要だということで、２０１８年８月に企画者を募集しました。そうして、農業×マーケティングの実証実験中だった博報堂ＤＹグループ㈱ファーマーズ・ガイドの中島慶人さん（現在、博報堂ＤＹメディアパートナーズの事業として継続活動中）や、流山セントラルパーク駅付近にあるＫａｎａｄｅ流山セントラルパーク保育園でコミュニティコーディネーターをする滝口優さん、みりんクッキーを作って下さる小林智映子さんに出会うことにもなります。

初めましてをしてから何度も打ち合わせをして、稲刈り後の藁を使った「藁フェス」が稲刈り後の田んぼで企画され、できることを持ち寄り準備をし、作ったことのない「巨大な藁のティピ」を作るために大人が一生懸命研究を重ねることになりました。藁を使ったワークショップでも、実際には作ったことがない作品を見ては「これいいね」と気になり、教えるために勉強するというおもしろい状態になっていました。２０１８年11月、イベント当日は約100名の老若男女が自然を満喫し、また運営側も準備しながら何もない広い土地で精いっぱい遊ぶことができましたし、後々付き合っていくことになるメンバーと出会えた良質な機会でした。それは、やっぱり岩根さんがリーダーに立っていらっしゃったことが大きく影響しています。その人柄や思いに共感したメンバーが、成功させたい、田んぼを大切にしたい、と思えたからこそです。

他にも、2018年9月にはmachiminで脱穀・籾すり体験を行ったり、試食を配布して野菜販売をしたり、2019年には青空ワインレストランを開催したりもしました。

日刊machimin 5/3(手塚)

machimin田んぼ、初入水・初田植えしました。

#こめとやさいとくらすラボ

昔はこんなに1つひとつ丁寧に、みんなでやっていたことだったんでしょうね。今は機械で正確に速くたくさん。それが経済や農業にかなりの効果を与えたのは間違いがありません。でもなんでしょうか、この「あぁ、気持ちがいいなぁ」とか「秋が楽しみだなぁ」とか「カカシ作りでまた会いましょう!」とか「台風来たら気になっちゃう~」とか「癒された…」とか。なんでしょうね、遊びに学びに、あれも

野球ボールで
脱こく・もみすり体験!
① すり鉢にもみを入れ、ボールでごりごり
② 「ふーっ」と吹いてもみがらをとばす
飛ばしすぎ注意
鼻息だと狙いを定めにくい
ゴリゴリ
フー
フーッ
フンッ
フスッ
フンッ
©はしもとあや

小さい子もできる脱穀・籾摺り体験は「ひだまり」の青年がアドバイス。

これも混じったこの行為。なくしていいのか。ただ、米を作るために自家栽培してる以上の価値を感じました。

道行くシニアの方が楽しそうだねって言いながらいろんなアドバイスをくださったり。

このあと、しっかり植わっているかを確認しつつ補植。白米になるまでで、1番目立たないけど1番大切なのは水管理。なにより田んぼを貸してくださった農家さん、日々machiminスタッフとして田んぼの世話をしてくださる岩根さん、ありがとうございます。

今日、田植えをご一緒したみなさん

と、これから関わってくださるみなさんで、〝machimin田んぼコミュニティ〟を美味しく育てていきましょう！（手塚）

ここで、人生の先輩に人材育成とは大変恐縮なことではありますが、まちの人事部長として譲れないことでもあり、岩根さんにビジネス的な発想を掛け合わせるともっと希望が叶いやすくなるだろう、速度が速まるだろうと思うようになります。1年目はお田んぼクラブとのコラボで楽しさを体感し、2年目はお田んぼクラブのお米を必死に売りながら、楽しさを伝えることを意識しました。3年目は楽しさを体験した人が体験したい人を呼ぶ展開となり、もう野菜を直売所に納めて、誰かに売れるのを待つだけではなく岩根さんが米や野菜を売っている場所に買いに来て直接売れる流れができつつあります。そのとまらない発展をコミュニティマーケティングといいます。「そういうことだったのですね。」という声を岩根さんから聞いたときは、静かに感動しました。つまりそれは、青年に伝わるということだからです。

稲刈り後の土地という不用になっているものが視点1つで宝物になっていく、コミュニティを作り上げることになり、青年が元気になるだけでなく、参加者も楽しみ、岩根さんにも新しい発見があり、米も野菜も〝売れていく〟ことで仕事やコミュニティがうまれる

「こめとやさいとくらすラボ」は、のちのmachimin3です。

現在は、田んぼはオーナー制になっており、オーナーになった方は、田植えや稲刈りの体験ができたり、手作りの流山産のお米をもらえたりするだけでなく、ここでイベントに参加したり、イベントを主催することができます。1年間の米の販売先が決まった状態で、オーナーたちと一緒に、田んぼの新しい使い方を開発していくことができるようになりました。

流鉄ギャラリーを企画・運営ここに集まる理由

〝オタク〟という言葉を使うとマイナスイメージもあるかもしれませんが、machiminでは何か1つのことに集中して生み出すその好奇心は〝才能〟だと思っています。私が尋常ではなく人材育成にこだわるように、なにもないところから「創る」ためには何かに対する強い気持ち・情熱があることは武器です。

高橋さんの缶バッジは電車好きの心をわし掴みです。

その一人が流鉄が大好きな大学生・高橋冴さんです。彼にとっては流鉄は観光電車ではなく、通学電車であり生活の一部です。流鉄の魅力を発信し、乗車する人を増やして鉄道を守っていきたいと考えていた高橋さんは、日頃から流鉄車両を撮影しブログによる情報発信をしていました。撮り鉄です。machiminの開業にあたり流鉄に詳しい人にアドバイスをもらいたいと思っていたとき、流山本町・利根運河ツーリズム推進課の方にご紹介頂きました。開業前からかかわってくれていて、コミュニティスペース内に流鉄ギャラリーを一人で完成させてくれたのは彼です。観光案内所のmachiminに必須の流鉄の路線図の他にも、四季折々の車両の写真や、色とりどりの車両を特徴とする流鉄の魅力を様々な手段で伝えるツールを作成してくれました。それだけでなく、日々流鉄に乗る際には顔を出しては自主的にギャラリーの世話をし、小さな変化も逃さずに流鉄に関する情報のアウトプットを進めてくれる頼もしい存在です。

日刊machimin　4／15（手塚）

流鉄に関しての情報が完成まで7割くらいのところに来ました！　季節の流鉄写真、今までの車両の色や説明、Nゲージ、フリーパスに路線図、沿革パネル、百周年記念のかざり車両など。よく見るとわかる〝こだわり〟があり、流鉄愛を感じます。電車に乗る人、電車にまつわる流山のエピソードに興味を持つ人、まちを歩く人を増やせるように、コツコツと。まずは正しい知識を、と。（手塚）

「駅前に必要なのは転入者がやるコミュニティスペースなんて得体のしれないものより、飲食店やコンビニのほうがニーズに合っていると思います」と言っていた高橋さんは、当初はスタッフではなく「僕はここがしっかり正しい情報を伝えているか確認する外部の人間です」と言い切られていました（笑）。でも、半年ほど一緒に活動する中で、「手塚さんはオタクを使いこなす力がある」と認めてくれたようでした。いや、使うなんて滅相もないのですが…。一緒にやってもらっているのですから。私の表現としては、「個人の好奇心の社会化」とでも言い換えておきます（笑）。

流鉄に乗る人を増やしたいという彼の強い思いに、流鉄に乗っていない人の気持ちがわかる私の「こんな情報があったら電車に乗るのに！」、「せっかく乗りに来たなら思い出が欲しい、また来たくなる」というニーズをかけ合わせて様々な企画提案をしました。その第一弾が「流鉄を下りて発見するオススメ撮影スポット冊子」、第二弾が「手作り缶バッジ」でした。特に缶バッジは超人気商品となりました。子どもが買いやすいもので、愛着がわく手塗りです。あまりに売れるので、私は生産性を考えてデータ印刷して量産したらと伝えましたが、彼のこだわりで1つひとつ手作りなだけでなく、1つとして同じものにならないようなデザインの細部への工夫がなされています。選ぶ楽しさだけでなく、選ぶときに「これをつくった人は、どれだけ流鉄が好きなんだろう…」と心動かされる商品になっています。この2商品で一体いくら稼いだでしょうか。そのお金は、缶バッジという小物からは想像できない金額です。そのお金は当然、彼が稼いだのですから彼に渡そうとしたのですが、「流鉄沿線を盛り上げ、乗車数増の企画のために使ってください」とのことで、彼は1円もとらないという筋の通し方です。ここで再確認しますが、彼は大学生であって、お金はあまり余っているはずはないと思うのですが、そこはもう美学ですよね。そんな気合が入った姿をみて、「この軍資金をもとに、machiminは沿線の価値を生み出すと約束します」と宣言させていただきました。

第三弾は「流山のバス・電車の路線を網羅したマップ作り」でした。いろんなところから来る人に対して帰り方を説明するために使われるものです。コミュニティスペースで会話している時にあったらいいなとつぶやいたら、知らぬ間に作ってくれていました。

日刊machimin　9／18（手塚）

流鉄に詳しい大学生高橋さんが、11／9にむけた手塗り流鉄缶バッジと、流山交通マップを用意してくれています。これ、簡単に見えますが、理解が深まっていないと書けない、複数社のサービスを融合させた網羅版です。本町だけ、流鉄だけ、なんて小さな範囲から出てまち全体を俯瞰した上で〝流鉄沿線の本町〟を案内するために必要なものです。もうすぐ、できます。（手塚）

彼の興味がどんどん変わっているのも目の当たりにしました。1年半が経過した頃、後述の長野県の飯綱町との価値交換プロジェクトの企画の話をしていて、流鉄のことがあるのでmachiminにきているだけだと思っていた高橋さんから「その話に興味があります」

と言われたときも驚きました。

日刊machimin　6/12（手塚）

先日、大大大企業さんからmachiminの活動に興味があるから視察したいと連絡がきました。約1年、グループとして研究し、実験する折にmachiminをたまま知り、これだ！と感じてくださったようです。めちゃくちゃ誇らしく、嬉しいことでしたが、気持ちが非常にクローズでした。資金もあり、頭のいい人もいて、ユーザーもたくさんいて、いい場所もあり、ブランドまである。そんなところは、machiminがしてることなんか明日にでもできて、数日でレベルが果てし無く変わり、machiminなんてなんでもなくなってしまう、だから視察は受けたくない、自信がない…と就活を終えた大学生スタッフに話しました。彼は、口数が少なく、飾らず、あまり心を開かないまま、自分のやりたいことを粛々とやるタイプです。私が散々喋って、ようやく話が止まった時、話し始めました。

僕は、machiminのエッセンスや具体施策を他人が見たところで、再現できないと思う。

たしかに、１つひとつ、１人ひとりをみれば、誰にでもできるようなことばかりをしてる。１つなら、１人なら、そうかもしれないが、これだけの数の人が、仕事としてではなく、組織のようで組織ではなく、給与をもらわず責任を求められず納期を決められず、〝自分がしたいからする〟という状態で数年継続し、主体的に完成されたコトが増えていくと、それはもう、誰にでもできることではなくなっている。もう、再現はできない。

理由は、言語化できないから。立ち上げた人も、来た人も、スタッフになった人も、常連も、わからない、なぜ来てるかがわからない。なぜ成り立つか説明ができないところに本質がある。

リーダーがいない。いるように見えるかもしれないが、それはわかっていない人のセリフ。machiminにリーダーが不在。１人ひとりが自分で考えながら、責任者になり、ただ仲間が支えてくれて、有機的に物事が進み、気づけば一周して繋がったりする。

たしかに、僕は最初〝流鉄の乗車率をあげたいから〟ギャラリーを作り始めたし、machiminに協力したが、今はどうだろう。来ている理由は多分もうそれではない。うまく説明はできない。

みんなが自由に、テーマに沿って〝好き〟や〝得意〟を持ち寄り、対価は受け取っている。
それは指定されておらず、受け取る側が〝これが対価だ〟と感覚的に決めている。だから人によって種類も量も違う。それが違うと感じた人はいなくなる。お金が対価でないとやれない人は止める必要がない、お金を払わないと引き止められない人はいずれmachiminからはいなくなる。お金を払わなければ人が集まらないときはmachiminが終わるときだと思う。共通価値観はお金じゃない。言葉にできない空気みたいなもの。言葉にしてはいけないもの。他では得られないもの。今就活が終わり、社会人になるけれど、きっと僕にとって対価は変わる。変わっていい。まだ無名だからブランドもない。1つひとつは誰にでもできることかもしれない。エアコンがなく暑くて寒い場所で、他の駅からアクセスがいい場所でもない。でも、立ち上げから2年半を見ていて、誰にでもできることだとは思わないし、大企業はできないと思う。

と無表情で言われました。自慢です。22歳、未来が明るい。慌ててメモしましたのでここに記録しておきます。(手塚)

ただ、2点、彼にまだ伝えてはいないことがあります。それでも私は、「誰にでもmachiminを再現できるようにしたいと思っている」ということと、「今後ここで築いた関係で、みんなの力で仕事をつくっていくつもりだ」ということです。machiminは非営利事業でも運営は株式会社であることを、わかりやすく提示できていないので、今言っても伝わらないと思っています。その気持ち、その行動は、価値を生み、社会から対価が支払われるようになっていくということには、またいつか気づいてほしいです。

「好きなこと、得意なこと、やりたいことがない」主婦の自己実現

その人がいると周りの雰囲気も良くなることも、等身大の努力が見えることも、machiminのスタッフ選びの基準の1つです。

先述の藁フェスの企画にて、参加者を募っていると思い間違えてイベント企画スタッフ募集に応募したのは流山市内に在住の小林智映子さんです。とはいえ、ちょうど引っ越し

てきたばかりの専業主婦で知り合いを作りたいと思っていたところだったので、イベント企画スタッフとして、2週間に1度程度の参加でゆっくり知り合っていきました。「私は何もできない人間なので役に立てるかわからないのですが、迷惑でなければ参加させてください」という当初のセリフに代表されるように、謙虚と自信のなさが微妙にバランスが悪い感じでした。専業主婦あるあるだと思うのですが、「主張」ということを日常に求められていないのか、それをしない間に「意志」自体がなくなってくるという現象が起きるのか。「したいことがない」という次元ではなく、「なにもできないのでこれくらいは」となっているようでした。本人がご主人に養われていると思っているので（私は違うと思いますけど）言うことを聞くという感じになるのでしょうか。いまだに完全には理解しきれないのですが、おそらくそのようでした。

「自信が欲しい」というのですが、謙虚だからこそ、「自分の成果」だと自分自身が感じられることがないだけだろうと推察されました。自信は行動した人にしか得られないもので、望んでも、お金を払っても買えません。何回聞いても、特にやれることがないと下を向くので、多少イライラしつつ（笑）、「クッキー作れませんか？」ときくと、「それくらいは…」とのこと。私たちのみりん事業を伝え、「自信をつけたいなら、砂糖不使用のみりんクッキーという商品を開発し、自分で稼ぐことを週1やってみてください」と言い放ちました。

私の誘いに押されてmachiminのシフトに入り、原価・売上・利益の説明から始めて、クッキーの味もいろいろ試しながら小林さんのオリジナルレシピになるように開発を進め、砂糖を使わないだけでなく、卵や乳製品も使わないよう工夫をすることで、アレルギーがあるお子さんも食べられるようにと特徴をつけていきました。そうして商品開発にはターゲット設定が重要であることや、パッケージデザインの必要性も伝えていきました。ものすごくシンプルな話でしたが、彼女はまじめに1つ1つノートに書き、一生懸命やっていて、その姿はなんとか成功させてあげたいと感じるものでした。3～4セット程度毎日コンスタントに売れていましたが、それ以上でも以下でもなく、店舗以外での販売先を開拓したいと思っていたとき、ちょうどみりんのお菓子1500セットの受注を受けることになりました。突然の受注に文字通り震えながらも「これがダメなら後はない」という覚悟を見せてくれ、黙々と、ひたすらにクッキーを大量に焼いてくれました。

彼女を見ていると勇気が出てくる、そんな存在でした。

日刊machimin　3／1（小林）

「達成感‼」

今の私の気持ちを一言で言い表すならこの言葉です。

みりんクッキーを細々とmachiminで作り続けてきたある日、手塚さんから大量の受注が入ったと連絡がありました。その数、１５００枚！！

「いやいや、手塚さん何言い出すんですか？　私に１５００枚クッキー焼けって試練キツすぎませんか？」と、正直心の中で思いました。

でもこの所、周りも気づくくらい自分に変化があり、野心に満ちたような気持ちになっていたようで（笑）。

「このミッション、逃げずにやったる！」

と決意するまでそんなに時間はかかりませんでした。

私はクッキーを焼くだけ焼いてくれたらいいとのことでしたが、私の焼いたクッキーを袋詰めしてくれる方や封をしてくれる方、励ましてくれる方がいてすごく感謝の気持ちでいっぱいでした。やり切った感と達成感。あとはかなりの自信がつきました。今回以上の受注はないと思いますが（笑）。

なんとなくぼんやりしていた物がスッキリ見えるようになり、私がやっていること

は無駄ではないと胸を張れる自分がいます。次はまた違う課題を乗り越えたいと思います。（小林）

とはいっても、machiminを訪れた人全員が育成されるわけではありません。観光のお客さんも含め500人出会ったうちの1人くらいがスタッフになるくらいの確率です。来て下さった方のうち約半分の人はmachiminにとどまらずに通り過ぎていきます。残りの人は、お客さんやファンとしてゆるやかなつながりを持ちます。様々な形でスタッフとして関わりを持ったとしても、価値観の違い、タイミングのずれによりmachiminから離れていく人もいますし、お互いのために距離をとりたいと伝えることもありました。出会いは楽しいですが、別れはそうではないので、その部分の工夫やこだわりは開業して2年はまだ私自身が言語化できていないまま感覚でやっていたのです。お別れするときの相手の顔を見る度に、「これがmachiminでやりたかったことだろうか…」と自問自答して、心が折れそうになることもありました。全員を受け入れなくていいのか、と迷うこともありました。

特に、人材育成は、短期的には利益に直結はしないからこそ、1年目に人材育成を優先させるという判断・そのために必要なルール・譲れないこだわりを見つけ、ことあるごとに言語化して確立していきました。目の前の家賃を支払うための営利活動でさえ、株式会社流山市の人事部長としては「目的」ではなく人材育成をするための「手段」です。迷って当然だと割り切ることにしたのです。株式会社流山市の人事部長の仕事の成果は、スタッフが今後どうなるかを見るまでわからない、答えは未来にあるのですから。

小林さんの様子を見ていた保育園の職員の方が、ある日、小林さんの人柄が素敵だとスカウトくださり、保育園併設の支援センターでパート勤務するようになりました。専業主婦として、子どものことはやってきたという自負もあるので、それならできるかもしれないと一歩踏み出し、それでも、machiminの活動も違った面で勉強になるからと週1回はmachiminでスタッフを継続することにされました。キッチンでクッキーを作るだけでなく、コミュニティスペースで店番をしたり、イベントの企画運営もしたり、様々チャレンジしてくれました。実は小林さんはmachiminと支援センターでの経験を経て、最近では「ゆくゆくは小学校の子どもの居場所を作りたい」と考え始めているようでした。他にも、保育士の資格試験をうけるという宣言もありました。1つひとつできることを増やしていきたいと思っているようです。「自信が欲しい」と言って半泣きだった小林さんが、作る側・

伝える側・運営する側に変わっていくことは、他の多くの人の希望になると思います。活動の中で〝好き〟が再確認され、〝得意〟が作り出され、「やりたい」が見え始めるということがよくわかるはずです。小林さんが約1年半の期間で成功体験を積み重ねてくれたことで、〝私でもやれるかも、あわよくばという気持ち〟や、〝チャレンジを身近にする機会〟を作り出すことがmachiminができることだと、私にとってもmachiminの存在意義を再確認する機会になりました。

追記：最近、保育士の資格を取るために「machiminスタッフを中断したら？」と伝えたとき、「そんなことをするとmachiminに戻ってこれないかもしれない」と小林さんは焦ったといいます。私は行こうと思った日に来たらいいじゃないかと思っていたのですが、小林さんは「私にとってmachiminは、手塚さんが思うより大切なもので、もう簡単に失えない」と言っていました。言っている意味をどれくらい私が理解できているかは、わかりません。保育士に受かってもう一つ自信をつけて、また戻って来てほしいと思っています。

クリスマスを目前に牧師と僧侶が対談する

1年目に手応えのあったヒット企画の1つが2018年12月22日に行われた「牧師と住職による宗教イベント本音トーク」でした。

住職の増田俊康さん、牧師の東昌吾さんとは別々に出会いました。増田さんは大道芸をされ観光協会にもはいられている変わった住職さんで、観光案内所のmachiminはどう転んでも知り合うことになる方でしたが、牧師の東さんは電車に乗る前にちょっとのぞかれて立ち話をしたのが出会いでした。増田さんも、東さんも、「寺や教会は昔からまちにひらいていて、交流の場になってきた。machiminとやりたいことは同じ。もっと人にふらっと遊びに来てほしいんだけど」ということをおっしゃっていましたが、寺や教会がそういう場所だというイメージは確かに私自身にもありませんでした。こんなに親近感が持てる住職さんと牧師さんに直接会って、こたつのある茶の間で世界の三大宗教のうちの2つの指導者から「ちょっとこれは聞いたらダメそう」という内容を聞きながら、寺って、教会って、どんなところなの？と興味を深めることになったらおもしろいかもしれない…お2人と出会ったのが11月だったので、直近の宗教イベントであるクリスマスをテーマに対談してもらえませんかとお願いしました。だって、私が聞きたいから、きっとみんなも聞きたいだろうなと（笑）。どちらもご快諾くださいました。（心が広い…）

掘れば掘るほど、話題は尽きません。まず、登場して早々、増田さんは「1分間、一発芸の時間をください」と言って場を和ませてくれ、期待を裏切りません。対する東さんは前日に当日のチラシをもって挨拶に来てくださるなど細部まで誠実さが滲み出ていて安心しました。

日本でもポピュラーになったクリスマスは、（宗派にもよりますが）キリスト教の世界ではイエス・キリストの誕生を祝う日です。12月25日の直前の日曜日を含めて、4週前の日曜日の「アドヴェント」の日から関連行事が行われます。その日からイエス・キリストの降誕を待ち望む12月25日のクリスマスまでの期間がアドヴェントの準備期間で、日本でもおなじみの常緑樹のリースを用意したりろうそくを灯したりするそうです。さらに、25日を過ぎてもクリスマスは終わりではないので（24日までが準備期間だから、その後が本番！）リースは1月6日まで飾ることが正しいと聞き、驚愕しました。一方で、仏教にとってはクリスマスの日に特に何を行う訳ではありません。お寺の中では、一般的な次元でちょっと豪華なご飯を食べているそうで、お寺によってはクリスマスの法要をやってるとか。「家族内では子どもにクリスマスプレゼントしちゃってます、だってクラスのお友達はもらってるもんね」とか（笑）。

個人的に興味深いと思ったことは、どちらにも「この宗教はダメ」という考えかたがないことです。

ここには書ききれないので悔しいですが、割愛しますが、〝予想は裏切るけど期待は裏切らない〟トークが続きました。日常からかけ離れているように感じる宗教も、こうして目の前にいる人が、生活感のあるこたつに入って、タブーっぽいことを台本なしの本音で話している様子は、なかなか貴重でした。当然なのですが、どちらもお話が大変お上手で、かつ、声が通るのでどんどん引き込まれていきました。

そして、このイベントのことを聞いて、東京藝術大学出身のアーティスト知念ありささんが「手塚さんはアーティストだ」と感じてくれたとのことで、意気投合するきっかけになりました。それが、最終的に流鉄壁画プロジェクトになるなんて。なんでも真剣にやってみるに限ります。このプロジェクトについてはのちほどたっ…ぷりと…。

「わかりあえない」を「わかりあう」ために壁画プロジェクトが教えてくれたこと

トタン壁のリノベーションが国境を越えるプロジェクトに

流鉄流山駅に隣接するタクシーの車庫だったスペースをmachiminにリノベーションしたように、machiminから市役所や博物館に続く「流鉄倉庫を囲う約100mの赤錆トタン壁」を何とかしたいと思案していました。実はこの企画、運営面でも制作者の人選の面でも何度か変更を繰り返してきました。2019年の1月には、machiminに顔を出しているメンバーと行うプロジェクトとしてスタートし、流鉄沿線活性化実行委員会から一部資金協力したいとお話をいただいたものの、3月にデザインラフを描く段階になったときにそのチームでは難しそうだとわかってきて、中断することにしました。

そこに、「手塚さんはアーティストだ」と意外な視点で声をかけてくる人物が…それが、東京藝術大学に勤務している同大出身のアーティスト、知念ありささんとの出会いでした。ありささんは、2018年の年末に企画した「牧師と住職による宗教イベント本音トーク」の話を耳にして、この企画が〃深い考察とコミュニケーションを生む＝アート〃だと感じ、

昔の流山の様子を地元の方から聞きデザインに生かすクレアさん（左から２番目）。

machiminの活動に共感してくれたそうです。ありささんに「大きな壁画を制作したい知り合いはいないか?」ときいてみたところ、「私やってみたい」という想像していなかった反応をもらいました。そして、海外からアーティストを一定期間招致して滞在中の支援をし、作品制作を依頼する「アーティストインレジデンス」という方法があることも教えてくれました。

流山にホームステイして市民のみなさんと会話し、「ここはどんな場所だったんだ、こんな歴史がある、今人気のイベントはこれ」というようなお話を聞いたり、実際に毎日machiminでみりんを使ったごはんを食べながら仲良くなり、まちについて知っていき、そこから得たインスピレーションを、「流山の過去・現在を記録し、未来に思いを馳せる〝流れるような絵巻物〟」というコンセプトで表現していていけたら…いいよね。そうありささんと妄想しました。

その数日後、ありささんがロンドン芸術大学留学中に知り合った英国在住ペインティングアーティストのクレア・ウォーレスさんから「日本に行ってみたい！やってみたい！」と返事をもらったということでした。クレアさんは、コミュニティの中で作品を作る「コミュニティアート」をやってみたいと思っていたとか…有名なＢＢＣで大道具制作もされているプロが…そんなことあっていいのか…急に本格的すぎる企画になることに戦々恐々としました。

一方、課題も一気に増えました。飛行機代が必要です。私は英語が話せません（笑）。制作期間は数ヶ月に渡るため、長期滞在可能な宿泊先を見つけねば。machiminでは宿泊先以外のすべて、塗料など必要材料・制作のアシスタント・軍資金の調達・デザインへのアドバイス・日々のお昼ごはん・現地の案内・関係者との連絡・日々の生活サポート、などを提供できると思えたのですが、とにもかくにも最大の難関である朝夕食付きの長期宿泊先を見つけられずにいました。できることなら、近くがいい、アートに理解があってほしい…そんなときに条件をすべてクリアするご家庭を、ＮＰＯ法人流山市国際交流協会よりご紹介頂きました。machiminから歩いていける距離にあるアーティスティックなカフェ「CAFE & GALLERY ANTIGUA」を経営されている方で今までにも長期ホームステイを受けられた経験をお持ちでした。

クレアさんが来日する1ヶ月前の9月、machiminの協力者で錆止め対策で下塗りを開始したという日刊を書いたところ、それをたまたま見かけた日本ペイント㈱の石川真光さんから、「塗料のアドバイスができると思うのでお会いしたい」というメッセージをいただきました。実際に赤錆のトタン壁をみながら、「すべての中で下塗りが大事。錆止めのための下塗り2回、本塗り、上塗り、といった4つのステップがあります。塗装に向かない天候や、下塗りから本塗りまでの乾燥時間なども気を付けてくださいね」という神がかったアドバイスと、塗料の全面提供の提案をくださいました。彼は、法人向け製品がメインの企業が消費者の目に触れる企画への協賛ができることで、普段できないPRになる上に、普段東京で仕事をしている父親である自分自身も「仕事をしながらまちにかかわってみたい、できれば子どもに自分の仕事を見せたいと思っていた」と話してくれました。震えました…。

予想外の連続で、結果的にこの流鉄壁画プロジェクトは今までで唯一の赤字企画になりそうでした。最初に約束のあった支援金なんて、〝焼け石に水〟という感じで、プロジェ

糸もかけるけど
すじこも漬けるよ！
©はしもとあや

普段の普通の生活を大事にするありさん。「アーティスト＝UMA、じゃない」

クトが具体的になっていくたびにどんどん赤字になりました（笑）。後には引けないので、急遽ＳＮＳで「名入れできます、運営に協力ください！」と個人・法人に協賛金を募ると、想像以上に支援してくださる方がいらっしゃり、無事黒字で運営するに至ります。名入れしたくて支援下さったのではないだろうなという方が多く〝みんなでつくる〟ための１つの方法を知ることにもなりました。

「わかりあえない」をわかるということの大切さ

２０１９年10月8日、英アーティストのクレアさん、パートナーの仏大工のガエタンさんがmachiminに到着しました。machimin到着後は流鉄や流山市役所へ一緒にご挨拶回りをし、その先々で歓迎していただけました。

お昼には、みんなでおにぎりウェルカムパーティーを。食卓を囲んで「同じ釜の飯を食う」ことによって、アーティストかそうではないか、言語が通じるかそうでないか、の壁をなくせればと思いました。同じ人間として、クレアさんと〝ごはん〟を通じたコミュニケーションを毎日行うということは、「よりよい状態をみんなで目指す」ために一番効果を発揮する最大のコンテンツだったと感じています。

一方、クレアさんの側では、アシスタントとして入った地元の住人、特に子どもたちとの交流を通じて、コミュニティの中でアート作品を作ることの意味を考察していたそうです。そんなクレアさんの考察をのぞいてみましょう。

Making Art with the Community
（コミュニティとアートを作るということ）


今日はたくさんの人が手伝いに来てくれました！

思っていたよりたくさん塗れて、みんな楽しそうでした。塗料を混ぜて、なんとなくみんなの動きがわかってきたところで、私も楽しくなってきました。子ども、アーティスト、大人、いろんな人が手を貸しに来てくれて作業の進み具合も上々。たくさんの色を混ぜて、手伝いたいとうずうずしている人たちに渡していく。たくさんの動き。明日は何人くらい手伝いに来てくれるんだろう？　人がたくさん来ても、少なくても対応できるようにしたいな。

今日はロンドン芸術大学時代からの仲間も駆けつけてくれました。一人はかなり腕の良いペインターなんだけど、久しぶりの絵筆に最初は苦戦しているようだった。それでも描いているうちに勘が戻って、のって来たみたい。確かに塗料の性質や濃度を理解するには少し時間が掛かるんだよね。特にこんなに暑い日は、水を足し続けないと濃くなりすぎてノリが悪くなる。

一日の終わりに仕上がりをチェックしていたガエタンに、塗料が垂れたり、溜まっていたり、均等に塗れていないところを指摘されたけれど、私は「流れに逆らってはダメだよ」と返した。完璧な仕上がりよりも大切なのは、コミュニティの人たちとの共同作業。このプロジェクトは普段の仕事と違うんだということを意識しなくちゃいけないと思う。塗料のダマもある意味、手伝ってくれた人たちの痕跡、努力の証だということ。だからそれが嫌とは思わない。これからもたくさんの痕跡が残るだろうけどそれはそれで良い。ただ、これからは他の人に手伝ってもらうのは週末だけにしようと思う。
夜は行灯に照らされた流山のまちを歩いたり、踊ったりと素敵だった。色んな場所に連れて行ってもらい、とっても美味しいフレンチレストランでスープをいただいた。

こうして、様々な人の参加・協力を得て、コミュニケーションを重ねて、日々生まれる課題をその都度解決しながら、みんなで壁画を作っていきました。言語が通じない、行動パターンが違う、アート・コミュニティの本質についての理解度が違う、そんな中での約2ヶ月は、長かったです。絶対成功させたかったからこそ。互いに尊敬していたからこそ。日々出てくるクオリティに感動していたからこそ。帰る日・完成させる日を最初に決めていたからこそ。だからこそその緊張がありました。

日刊machimin　12／8（橋本）

青空のもと、壁画の完成セレモニーを無事に開催することができました。大変多くの方が集まってくださって、流山のまちの壁画の完成を喜ばれ、お祝いしてくれました。セレモニーでは手塚さんからのプロジェクトの概要説明、壁画を制作したクレアからの言葉、ご来賓ご挨拶、そしてテープならぬ毛糸カット。アート鑑賞タイムでは「1．それぞれが自由に見る」「2．解説を聞きながら見る」という2つの鑑賞方法を行いました。まさに〝まちに開かれた美術館〟。アートをまちのいろいろな方々と、そしてそれを描いたアーティストさんと共に見る機会なんて、そうそうあるものではない、とんでもなく新しい経験をしたなあと感じます。

壁画プロジェクトをするなかで何度も、そして今日も頭をよぎったのが旧約聖書のバベルの塔の話。昔全人類は同じ民族で同じ言語を話していましたが、いろいろあって神様が言語が通じあわない状態にしたというお話です。（雑ですみません）それはつまり、人と人をわかりあえない状態にさせたということなんだろうなと思います。

言語が同じであろうとなかろうと、人間は一人ひとりが別の人間なので、完全にわかりあえるなんて無いものです。思いがある、みんなでやる、力をあわせる、その前向きなパワーは非常に重要、でもそれだけでは乗り越えられない、どうにもこうにもわかり合えない、みたいなことは良くも悪くもあって、立場も肩書きも職業も、「わかりあえない」を増幅させる1つの要素。

そもそもわかりあえない、が前提で、でも何かを一緒にやっていけるのは、認めあ

う・わかちあうことができるから。それを、言語以外でやれるのが、アートやごはんなのかもしれないなと感じました。（橋本）

クレアさんが綺麗な絵を残してまちのためになることをしているとき、ありささんもまた、流山のことを海外に向けて英語で翻訳・通訳をしてくれていました。また、「壁画をどんなデザインにしたいのか？」などの制作に直接かかわることだけでなく、「どうしてそうしたいのか、どんなやり方をしたいのか？」というニュアンスが大切な場面では、ペインティングアーティストのクレアさんとコミュニティを運営するアーティストの私のどちらもわかるありささんが、その感覚差を補うように表現を工夫することであらゆる壁を乗り越えるためのサポートをしてくれました。彼女にしかできない役割でした。

まちが誇れる壁画は完成した、まちの人事部長の目的は達成されなかった

さて、この本の主旨にもなりますが「まちの人事部長」の目的は人材育成です。この文章をお読みの方もなんとなくそう感じていらっしゃるとうれしいのですが、壁画プロジェ

クトのキーパーソンはありささんです。ありささんという1人の〝好き〟や〝得意〟を活かして「やりたい」に向かうことが、このプロジェクトのもう1つのテーマでした。「アーティストはUMAみたいな存在じゃない、普通に生活している同じ人間だよ」と笑いながら何度も言っていたのが印象的でした。また、「アーティストで食っていけるのはほんの一握り、安定した生活ができる稼ぎを得られるように成長したい」とも言っていました。壁画単体ではなく地域一帯のアートプロデューサーになったり、他の地域から「自分たちの地域でもアーティストインレジデンスのコーディネートをして欲しい」というような仕事が来たらいいなぁ、これをきっかけとしてありささんに企業のスポンサーが見つかったらいいなぁ、そんなことが様々な人が交じるこのプロジェクトを運営しているときっと訪れるだろうと期待していました。

結論から言えば、「素晴らしい壁画を作るプロジェクト」としては成功したと思っていますが、「まちの人事部長の人材育成プロジェクト」の観点では失敗したのではないかと思います。当初の期待は1つもかなわなかったのは確かです。この取り組みがありささんの実績になったのかもわかりません。気持ちが晴れず、「なぜこんな気持ちなんだろう」と半年くらい悩むことになりました。これまでどちらかといえば自己主張が少なく控えめで自信がないタイプの方が主役となるプロジェクトが多かったので、そもそも意見がぶつかりあうことがあまりありませんでした。ぶつかることはあったのかもしれませんが、私が押し切っていたのでしょう。今回、自分の意見や主張のはっきりしている「アーティスト」同士が強く共感しあい尊敬する部分と、譲りあえない部分が両方あったのだと振り返っています。尊敬しあっているからこそ、好きでいたいから、今後プロジェクトを一緒にやるのはやめようということになりました。

どうしてそんなことに…。これはタイトルにもした「わかりあえない」ということを「わかりあう」ということの努力が足りなかったからだと思います。コミュニティに多様な人がいるとき、同じになることが正しい、1つになれる、なりたい、わかりあえる、と思っていたのかもしれません。そう思っているつもりはなかったのですが、でもそう思っていたということだと受け入れました。今回もし、「同じではないけど、1つになれる」ということを最初から私がわかっていたら、腹の底から納得できていたら、どうなっていたのでしょうか。多世代多様な方々との交流を生むmachiminとして、今後一生忘れてはいけないであろう大きな教訓を得ることになりました。

CHAPTER

4

machiminを アップサイクルさせる 仕掛けをつくる

プロジェクトを再定義「本みりん研究所」に

「みりんの魅力再発見プロジェクト」は、machiminができる前、ワイワイ活動していました。machiminに菓子製造所を設置したのは、このプロジェクトでできた素晴らしい発見＝商品を〝売る〟ために、自分自身を課金する体験をしてもらう機能として必須でした。その過程で「まちにリンクする」ことを感じていくのだと実感しましたし、なによりそこに人の成長があり、そしてコミュニティが生まれると確信していたからです。このプロジェクトは2019年6月に「本みりん研究所」という名称に変え、Webサイトも立ち上げました。

本みりん研究所誕生の立役者は、Webディレクターの黒田華奈さんです。

第一子育休中に発酵マイスター※の資格を取り、自分でも発酵についてのサイトを作って勉強を進めていました。流山の白みりんの歴史を知り、強い興味を持ったそうで、SNSで「みりんの魅力再発見プロジェクト」に行きつきました。「仕事復帰した時、子どもがいても今までと同じように通勤片道1時間半の環境で働けるのか?」「育休中の時間を活かして自分の価値を上げたい」と思い、machiminを訪問したそうです。

　本職ではＷｅｂディレクターとして働いていたことから、サイトは立ち上げられる自信はあったようですが、コンテンツを開発し続けられる、魅力的であり続けるということが自分に欠けていると思ったそうで、「machiminのみりん活動についてをまとめた専門サイトを立ち上げ運営し成長させながら、プロジェクトに貢献したい」という提案でした。ヒアリングを丁寧にしてくれ、企画書やサイトツリーを提示しながら会議を主体的に進める様子を見て、もう十分できるのにと感じたのが最初の印象です。

　活動をまとめるサイトがあるといいのはわかりますが、黒田さんが復職したら更新が止まってしまうのだろう（自社のサイトだけで手いっぱいなのに…もう１つ立ち上げるなんて…）と推察していたので、この労力が花開く前に無意味になるのではないかと感じ、何度か提案を断ったこともあるのですが、まったく折れない黒田さんに、「わかりました、やってみましょう」と私が折れました（笑）。

　ＧＯになったものがもう１つあります。黒田さんが所属する日本発酵文化協会が２０１９年６月13日から18日にかけて東武百貨店船橋店で「発酵マルシェ」の初回を実施

※発酵マイスター　日本発酵文化協会認定の公式資格です。http://hakkou.or.jp/

するという情報があり、黒田さんに「みりん関連で出店しませんか？　出るなら手伝います」と提案を受けました。黒田さんは、「みりんが発酵食品である」ことを知ってもらうチャンスだと思ったようで、発酵マイスターの活動としてもやってみたいということでした。しかし、発酵の界隈でみりんのプロとして事業を進めるつもりのない私は断りました。が、全く動じていない（ようにみえる）黒田さんは「ちなみに、このような企画のようです」と企画書をみせてくれます。よくみると、machiminが〝喫茶〟の営業免許を持っていなくても、百貨店の場を借りることでカフェ運営体験ができることを知りました。菓子製造免許で菓子を作る体験・物販体験はできても、カフェ運営体験はmachiminではできないことだったので興味が湧きました。流山を出てみりんの話をすること、普段と全く違う客層の反応を見ること、競合がいる状態で営業すること、どれも研修としてよいだろうと思いました。

そして、黒田さんと話す中で、〝みりんは発酵食品である〟という新しいメッセージが増えるとどうなるのだろうというワクワクを私自身が感じました。

本みりん研究所として初開催したみりんカフェプロジェクトは、場の調整、みりんの商品開発、新しいターゲットに向けたパッケージ作り、カフェの運営、店内の装飾、当日の販売までを1から立ち上げて実行するために数ヶ月の下準備を始めました。

日刊machimin　4／22（手塚）

6月に向けて新しい企画が仕込まれています。みりんカフェプロジェクト。発酵マルシェ＠東武百貨店船橋店（6／13－18）にむけての準備が進んでます。6日間毎日異なるみりんメニュー、作り手が6人います。

リーダーをしてくれているのは発酵マイスターの黒田さん、今日は百貨店での打ち合わせにみんなの試作品を持参するため、引き取りに来てくれましたが、黒田さん自身もみりんプリンを持ち込んでくれました。

いつもは赤ちゃん連れの黒田さんでしたが、今日は1人でした。打ち合わせに向けて一時預かりサービスを使ったようで、〝初めて〟の体験だったそう。こどもと離れることが全くない半年だったわけだと思うので、いつもと少し違う表情の黒田さんでした。

そういう時間って、本当に新鮮で、忘れていた気持ちを思い出したり、迎えに行くとき若かりし頃の遠距離恋愛の彼に会いに行くような感覚になったりと、なんだかいいんですよね（笑）。（手塚）

日刊machimin　6/13（手塚）

始まりました発酵食マルシェ＠東武百貨店船橋店、初めて流山を出て、無事商品をずらっと並べて挑戦です。これを機に、いままで手をつけていなかった飾りやメニュー、パッケージを新しくして。

開始できたことでお役目を終えたような気持ちになり、燃焼気味ですが、いや、今からです（笑）。〝発酵〟という界隈の方々との新しい出会い、みりんに触れたみなさんの反応をダイレクトに感じながら勉強させてもらってます！

唐突ですが、私は商品を売りたいのではない、とわかりました。私はコンセプトを伝えたい、なによりコンセプトを体現している〝ヒト〟を知ってほしい、コンセプトを広めるために、作り手の活躍する場を広げるために、新しいコラボを生むために、流山がさらに盛り上がるために、〝手段として〟今商品を売る必要がある、という強い気づきを得ました。

明日は、どう売るか？がかなり変わると思います。利益だけでなく、体験学習や経験に実績、人脈、新しい出会いを得るのが目的で参加させて頂きました。通りすがりの方にいかに短時間でコンセプトに興味を持ってもらうか、とにかく味わってもらいながら共感で売れるようにしていきます。

なんでもやらないと、わからないですからね。ＰＤＣＡを高速に回していきます。（手塚）

本みりん研究所のサイトでは、「どうせやるなら、それぞれの研究員の個性がわかる形でまとめたい」という私の希望を叶える形で、試行錯誤しカテゴリ分けをしてもらいました。活動はできても〝記事化はできない・物撮りができない・サイトなんてなんのこっちゃわからない〟という研究員に代わって、黒田さんはインタビュアーになり、カメラマンになり、ライターになり、エンジニアになり、デザイナーになり、エディターになり、そして一緒にコンテンツ自体を作り、Ｗｅｂサイトを立ち上げ、運営してくれました。

最後に、本みりん研究所のＷｅｂサイト内に掲載した研究所の紹介文と、黒田さんが書いたマルシェのレポートを掲載したいと思います。


〈本みりん研究所の物語〉

白みりん発祥の地・流山の市民たちがまちを盛り上げるために始めた「みりんの魅力再発見プロジェクト」

この活動を通して、「みりん（本みりん）」と「みりん風調味料」が全く違うものであるにもかかわらず、みりん風調味料をみりんだと思って使用していたり、みりんの代わりに砂糖を使ったりする子育て世代が多いという事実に触れました。

また、海外から来られた方に、流山がみりんのまちであることをお伝えすると、「What's MIRIN?」と聞かれることが多々あり、調べると海外のスーパーにみりんがなかったり、あってもみりん風調味料がみりんのように並んでいたりする事実を知りました。

〝これではユネスコ無形文化遺産にも登録された「和食」を支えるみりんが次世代に繋がっていかないのでは？〟〝もっとみりんの存在や、効能などの魅力を知ってもらいたい！〟

そう思ったプロジェクトメンバーは、楽しみながらみりんの意外な使い方を模索し始めました。スイーツ、パン、イタリアン、フレンチなど…様々なシーンでのみりんの活用方法を見つけ出し、研究のように進化していきました。

そして、その活動が転じて、作った商品を広く知っていただくために菓子製造免許を取得したり、商品について特許出願したり、みりんが51％以上で主成分になる砂糖不使用商品にこだわって販売したりするまでに発展していきました。

このプロジェクトに共感した1人が、もっとたくさんの方にこの活動を知ってもらいたいとプロジェクトに参画したことを機に、「みりんの魅力再発見プロジェクト」を「本みりん研究所」という名称に変更し、サイトを立ち上げることとなりました。

(https://honmirin.net/about)

〈2019.06.24　発酵食マルシェ　レポート〉

はじめまして。日本発酵文化協会・発酵マイスター26期の黒田華奈と申します。

発酵食マルシェには、小さなお子様からご年配の方、発酵食や自然食が好きな方、様々なお客さんにご来場いただきました。そして、machiminブースでは、たくさんの方にご試食いただき、ご意見やご感想をいただきました。

「みりんが発酵食品ってこと、知らなかった」

「みりんだけでこんなに甘くなるの？　本当に砂糖入っていないの？」

「みりんソーダは、蜂蜜が入っているのかと思った！　みりんだけで作れるなんてすごい！」

「みりんを使ってお菓子やドリンクが作れるとは思わなかった。家でも作ってみたい！」
発酵食品であるみりんの説明をしながら、みりんの意外な使い方、楽しみ方を知っていただくことができました。

また、お客さんだけではなく、他の出店者様・セミナー講師の皆様との交流も素晴らしい時間でした。

実際に出店者様の商品を食べてみると、発酵の力によって生まれた旨味や甘味が活かされた商品ばかりで、やっぱり発酵食って美味しいなー…としみじみ。

さらに、その商品の効能や使い方などの説明を受けると、各出店者様の商品への熱意を感じたり、魅せ方・伝え方などを勉強させていただいたり、多くのことを学ぶ貴重な機会でした。

黒田さんはその後、㈱WaCreationのサイトリニューアルを「仕事」として成し遂げてくれ、そして復職しましたが、無理ない範囲で「本みりん研究所」のサイトの定期更新でかかわり続けてくれています。

働き盛りの男性・子育て中の父親が地域にかかわる方法の模索

２０１９年４月、「Ryozan Park 大塚」という子連れで働けるサテライトオフィスのコミュニティマネージャーをしている浦長瀬紳吾さんを、先述の㈱ジモティーの加藤さんが連れてきてくれました。２人は一緒に仕事をしたことがあり、浦長瀬さんがmachiminに合いそうだと感じてくださってのことです。訪れてくれた数日後、浦長瀬さんからmachiminでお手伝いをしてみたいとオファーがありました。以来machiminには、「自分がつくるコミュニティとはまた違うコミュニティを体感し学ぶため」に週に1回スタッフとして、本業がピークの時はペースダウンしながらもわざわざ東京から通ってくれました。

machiminを運営している時には、スタッフやお客さんとコミュニケーションをしたり、ゴーヤを植えたり、けん玉をしたり、イベントをしたり、掃除したり装飾したりなどの環境を作ったりと「なんでもやってみる」ことができる柔軟な人です。（けん玉は、machiminの人気アクティビティの1つです。1人でも、どこでもできるのになぜか

machiminに来てやりたい人が多いんです）毎日何が起こるかわからない場所であることや、地元の人や観光客、遊びに来る人や仕事に来る人など多様な人たちが集まり組み合わさることをおもしろいと感じてくれていて、紳士で、誠実で、礼儀正しく、心温かく、優しい、万人ウケする人です。

浦長瀬さんの人柄を感じる投稿をご覧ください。普段、日記に書かれていないことまでmachiminの一日をじっくりと書いてくれていることも見逃せません。

日刊machimin　4／24（浦長瀬）

みなさん、はじめまして！　4月中旬からmachiminスタッフとして勉強をさせていただいています、浦長瀬 紳吾です。

僕は、IT企業への就職とともに上京しました。社会人になり、交流の輪が広がり、SNSを通じて友達もみるみる増えましたが、同時にアナログコミュニケーションの大切さについて考える機会が増え、丸3年務めた会社を退職し、思いを込めた手紙を走って届ける飛脚便「TABI-KYAKU」を立ち上げました。その拠点として構えていたオフィスがRYOZAN PARK。人と人のつながりを学ぶため、そこでコミュニティマネージャーという職にもつかせていただきました。今は150人の利用者（起業家&子育て中の方）の交流の場をつくることを生業にしています。それからもう3年。これらの活動を通じて、行き着いた大きな大きな課題。それを解決するために、手塚さんの力、machiminの力、流山というまちの力を借りて学ばせていただいています。（浦長瀬）

日刊machimin　6/21（浦長瀬）

久しぶりの投稿、東京から週1－2日通ってるスタッフの浦長瀬です。machiminに来て、2ヶ月が経ちました。なんで賃金ももらっていないのに、縁もゆかりもないまちなのに、1時間半かけて、交通費1500円払って、休日にmachiminに来てるの?って良く聞かれます。（手塚さんにすら時々聞かれます（笑）。

「そこまで深く考えてなくて、気の向くまま通い、流鉄に乗ってた」っていうのが、正直な回答でした（笑）。

ここ2ヶ月の出来事は、

都内から通う浦長瀬さん（右から２番目）は初対面の主婦ともスムーズに会話。

- 出会った方リストが71人になった（自己満足Ｗ）
- 子ども店長に敬語で話すようになった
- お花の育て方を学び、家でサマーベリー（イチゴ）を育て始めた
- ベーゴマの回し方を学び、両親や子ども、友人に教え（自慢し）始めた
- 簡単な店番はできるようになった（駄菓子販売、フリマ対応）
- 就活以来の自己分析をし、自分の強みと弱みを認め始めた
- 妊娠中の妻との付き合い方を学び、今のところ順調だＷ
- 最寄り駅から家までの道のりで、すれ違う人に挨拶するようになった

etc…

こうやって考えると、少し離れた場所だからこそ、今までと出会ったことのない人たちの中だからこそ、何でもなかったことがここでは新鮮に感じられ、「自分と向きあう時間ができるから」がざっくりですが、答えなのかもしれません。これからも自分探しに、自分が自分らしくあるために、machiminにフラ〜っと出没します。

（浦長瀬）

コミュニティマネージャーとして雇われている浦長瀬さんは私にとって育成対象ではなく、なんなら速攻でエースでしたし、交通費自腹で市外から毎週通ってくれる意味が理解できずに苦しみ（笑）、何度も「なぜ来てくれるのか」とききました。本人もよくわかっていなくて、繰り返し繰り返し問い続け1年後出た答えは、「普段と違う体験の中で内省を深めて自分を発見し、いつか自分がしたいが現在苦手意識のある〝福祉とビジネスの両立〟を体験したかったから」でした。

途中、お子さんの出産や親族の状況などの変化・本業の変化もあり、働き方だけでなく暮らし方が変わったり、優先したいことが増えたり、キャパオーバーになったタイミングがあり、休憩することもありました。女性とはまた違う男性特有の思考パターン・悩み・

環境の違いも感じた気がします。浦長瀬さんのように、家族がいて、市外に住んでいて、本業がある人にかかわり続けてもらえるか、休憩してもまた戻ってきてもらえるか、それこそがmachiminの評価だと思っています。(2020年6月現在休憩にはいりました)

他にもいくつか興味深いことがあります。machiminでは、日中まちにいる(来られる)人に集まってもらっているため、主婦やシニアや子どもと企画を立ち上げていることが多いので男性のお客さんは相対的には少ないのですが、流山市では積極的に育休を取得される方や、休日に子どもと外出する時間をつくっている方、ライフワークバランスを求めて週1-2日リモートワークを取り入れている方も多いです。休日はむしろ、父親が子どもをつれて2人で遊びに来るというシーンは非常に多く、時代が変わっていることを体感しています。

ある時、前職の同僚からmachiminの活動に興味がある流山在住の知り合いを紹介されました。㈱リクルートマネジメントソリューションズに勤務する、2児の父親松岡剛広さんは(同じ会社でしたが、お互い存在を知りませんでした)転勤族の子どもだったことから、一つの地域に根ざした活動に憧れがあり、machiminのあり方を聞いた時に子どもの地元となる流山で「実際に地域づくりを体感してみたい」「地域を知ってみたい」と思って訪問してくださったそうです。入り口こそそうでしたが、たった数時間話すだけでmachiminの本質部分である「まちの人事部長として事業を進めているという点」で意気投合しました。

本業の〝個と組織の関係を研究する〟ということを活かして「まちづくりとはどういうことなのか」を考えながら、machiminの人材育成の方法を研究し研修資料を作るという「㈱WaCreationのコーポレート部門のイメージで参加したい」と申し出てくれた珍しい方でした。私自身が整理しきれていない・言語化できていないことを、ひたすらに対話して、話して話して話して（笑）、受け止め整理してもらって、体系化した資料となりました。それを使えばいままで無料で話し続けたこと、伝わりにくかったことが、研修サービスになり、広がる可能性もあるのではないか、とワクワクするものでした。これは松岡さんの本業にもいい影響があると言い切ってやり通してくださって嬉しかったです。

何がすごかったかというと、彼は「週5フルタイム勤務で2児の育児にコミットしている」ということです。平日昼間にmachiminに来るために、朝4時に起きて1日分の仕事を終わらせて14－16時に店頭にくるという偉業を継続していました。毎回「本当に楽しいですか、大丈夫ですか」と確認してしまうくらい、すごいことだと思っていました。自分が同じグループの会社にいたからこそ、ほぼあり得ないレベルだということをわかっていたのです。(私なら、絶対に無理です……!)

平日に地域活動する都内勤務のサラリーマンという存在は大変珍しく、どうやったらそのような人が地域参画しやすいのか、そんな話もしましたが、どこまでいっても都内の企業を退職して地域で起業した私にはわからないことは、わかっていました。父親の気持ちや行動特性を知りたいので、「平日フルに勤務している父親の集まりを作って地域活動できるか知りたい」と強くメッセージしましたが、具体的なことは何も言いませんでした。これはmachiminにとってスピンオフになると思っていました。松岡さんがどんなことを求め、どんな仲間と一緒に、どんな活動をして、どんな風に継続し進化させていくのだろう。松岡さんは私にとって育成対象ではなく、研究対象という方が正しいかもしれません。「市民活動に積極的」な父親が多いのは流山の地域性だと思っています。近年はPTAの活動、朝集まっての読書会、夜にフットサルやバレーボールなどのスポーツサークル、父親同士が相互に交流したり、遊んだり、持っている知識やスキルを地域に還元しようとする活動を行っている人もいます。

2020年7月現在、リモートワークを取り入れた新しい生活様式が模索され始めています。ベッドタウンのまちが文字通り〝夜、大都市から帰宅して睡眠を取るために過ごす場所〟、ではなく会社員や起業家、個人事業主が平日の日中も積極的に地域活動に関わるようになると、「仕事で培ったノウハウを使って地元で何かやってみたい、実験してみたい。」という方が、まだみたことのないムーブメントを生み出すのではないか？と、期待しています。

そしてさらに、先述の自分の仕事とまちのプロジェクトをリンクさせた働き方「生活圏が自分の仕事場になる」ということを実践された日本ペイント㈱の石川真光さん（先述の壁画プロジェクト参照）、博報堂ＤＹグループ㈱ファーマーズ・ガイドの中島慶人さん（現在、博報堂ＤＹメディアパートナーズの事業として継続活動中、先述の藁フェス参照）、machiminの本の出版を企画した㈱木楽舎の中野亮太さん（はじめに参照）がいます。「本業とは別の学びを得るため」でもなく、「本業とリンクする学びがあるため」でもなく、「本業としてまちとかかわるため」という新しいパターンです。どれもいいですよね…ここは、別途１冊かけて語りたいくらいに（笑）、最高に可能性を感じています。

流山の名物「切り絵行灯」を鑑賞するだけでなく、参加する

流山本町は、東京湾に向かって1都3県をまたいで流れる江戸川沿いにあります。その市街地には、江戸から明治、大正時代にかけてつくられた土蔵造りの建造物、寺社仏閣、路地裏の景観が残され、水運の発展により商業の町として栄えていた歴史を伝えています。

百数十年続く呉服屋や日本料理店などの老舗、カフェ・レストランやミュージアムなどが点在する商店街の各店舗の前には〝切り絵行灯〟が置かれ、訪れる人の心をとらえて離しません。この行灯の表面に映される切り絵を手がけるのは、流山本町に在住して活動する切り絵作家の飯田信義さんです。この流山本町で生まれ育った飯田さんは、近所に住む幼馴染の長谷部年春さんと一緒に、毎年7月に開催する地元のお祭りの「夜」を盛り上げるために切り絵行灯を考案されました。行灯本体の設計・制作は、日曜大工が趣味でモノづくりが得意な長谷部さんが担当しています。

飯田さんと長谷部さんのお2人は2012年に活動を開始し、当初は老舗の商店を中心

とした6店舗のオーダーを受けて「花の6基」と称する行灯を完成させました。依頼者から切り絵のデザインを決めるためのヒアリングを行い、1ヶ月ほどの期間をかけて制作します。ボランティアとしての活動で、依頼者には材料費を負担してもらいますが、制作費は取られていません。現在は流山本町に100基を超える切り絵行灯が設置されています。machiminを開業する際には光栄にも早速制作していただき、オープン前に設置してくださいました。

日刊machimin　2／25（手塚）

切り絵行灯!!　流山本町の仲間入りができた気持ちです。かっこいい（涙）!!　ものすごく細かい。

ここは何になるんですか？　カフェですか？という質問が、工事くださってる方に相当量降りかかっているらしく（笑）、また、外観を記念撮影されてる方もおられ、急遽、ここが何かわかるように看板（切り絵行灯）を前倒しでいただきました。惚れ惚れしています。じゃーん！と初お目見えの瞬間、おさえました！（手塚）

また、市内のギャラリーでは飯田さんの作品が展示されることもあります。一点ものの原画をじっくりと眺めるために私もお邪魔しました。飯田さんの切り絵はそれはそれは非常に繊細で、ため息が出るくらいです。飯田さんの切り絵からは、「昔ここはなんだったのか」を想像しタイムスリップした気持ちになれます。

市役所に勤務していた飯田さんが作家活動を始めたのは、20年前に旅先で出会った作品に魅せられたことがきっかけです。それから独学で切り絵作家となり、サンクトペテルブルク、パリ、ロンドンなどの国内外の数々の芸術祭・展示会に作品を出品、国土交通大臣賞の受賞や「国際切り絵コンクール・イン・身延ジャパン」での入選も果たすことで、知名度を上げながら日々精力的に活動されています。

行灯、個人の作品どちらの場合でも、切り絵作品を作るために大切にしていることは流山の風景を残すことだそうです。飯田さんは、「自分が生きている間は、昔のまちの面影を残したい、自分の心のふるさとを残したい。切り絵を作り続けているのは、自分がそれをやりたいと思っているから」と語っていらっしゃいました。

machiminのコミュニティスペースでも1年目から飯田さんの作品の販売を開始し、2年目には講座を開催していただきました。

日刊machimin　6／24（手塚）

切り絵作家の飯田さんに、講座を開催いただきはじめました！　趣味で独学で始めた切り絵は、今やまちを明るく照らす行灯になり、先日飯田さんと長谷部さんが協働で作成した「切り絵行灯」が街並みの景観を魅力的にしたという観点で国土交通大臣賞を受賞されました。machiminで教えて頂けるとは、なんて贅沢なのでしょう。

全3回の講座にしましたが、単発開催も可能です。私がチャレンジした蝶々は3時間で完成しました。菖蒲や江戸川にチャレンジされている方々は、次回への宿題に。難しいデザインを選び、かつ実際にうまい参加者の様子をみて「切り絵初めてなの!?」と飯田さんも驚かれていました。（手塚）

そして3年目は、切り絵に興味を持って流山本町に来て下さる方のためにも、飯田さんの活動をまとめておく必要を感じていました。また想いに加えて技術が必要な活動だからこそ、後任を簡単に見つけられないため、鑑賞・体験・購入するだけでなく一緒に活動してくれる仲間を見つけたいと思っていました。Webディレクターである清野恵里さんが壁画プロジェクトの際に立ち上げてくださったサイト（Ryutetsu Area walking lab.）に飯田さんのコーナーを作り、今までの活動をまとめたり、日常の会話を取材と捉えて記事にしたり、コツコツやっていきました。そこに、趣味が切り絵で飯田さんの記事を見てくれていたライターの渡部直子さんに、「飯田さんと切り絵についての対談を行い感想を記事にしてもらえないか」と依頼しました。

その対談が異常レベルで盛り上がり、インタビューではなく渡部さんが切り絵でやってみたいという話や飯田さんに対する提案で時間が過ぎました。渡部さん、インタビューするの忘れていたようです（笑）。「巨大な切り絵を作ってみたい！」「コロナウイルスで中止になってしまったまちのお祭りやイベント、特に名物の流山花火大会を切り絵で表現したい」と2人がワイワイ話していると、周りにたまたまいた人も「ちょい飲みもできるといいんじゃないか」「切り絵でうちわを作るワークショップも楽しそう！」と無限に会話が重なり「触れる花火2020」の実施が数日で決まりました。あるデザインを1人で完成させ持ち帰るという今までの講座と異なり、飯田さん自身も切り絵活動約26年で初めての挑戦だと話されていました。1人での作品作りの枠を超え、170×175センチという飯田さん史上初の巨大な切り絵制作を一緒にすることになって、「自分ってこんなにワクワクだけで突っ走れるんだ！」ということを、その場にいた全員が驚くことになったと思います。

15名の市民たちが講座を受け学びながら、飯田さんのデザインを20エリアに分け、その1エリアを担当してもらいました。言い出しただけではなく、その場にいた全員が企画運営者になったのです。企画を準備するなかで、飯田さんの人柄に触れ、切り絵に興味があり集まった人たちも飯田さんと〝一緒にやりたい〟からチャレンジし、飯田さんが大切に思う本町に興味を持っていくという流れがうまれました。

そして、ちょい飲みできる店舗とプチビアガーデンという機能もセットすることができました。国土交通省が提示する店舗前路面での飲食営業許可に関する条例を活用すべく、流山本町利根運河ツーリズム推進課と協働し、流山本町付近の飲食店店舗の活性にもつなげていけたらと考えています。（2020年9月末現在）

長野県の飯綱町奈良本地区へ「移動machimin」の実施

machiminを始めたころは、ずっと流山で活動するものと考えていました。今でも基本的にはそうですが、少しずつ変化も起きています。〝まちが学校になる状態〟を目指して、

machiminは開業後の1年、年齢立場様々な〝センセイ〟を増やしてきましたが、生徒が先生になったり、先生が生徒になったり。そんな関係を流山以外でも作れるか?を考え「流山ではできないことを他のまちで〝流山のため〟にやりながら、〝そのまちのためにも〟なれるか」の実験を2年目の夏となる2019年8月に、長野県飯綱町で開始しました。

2019年1月、飯綱町の活性化においてコーディネーター役でかかわられている凸版印刷㈱の吉村祐子さんが「複数人で視察に伺いたいので、その前にお話ししたいです」と1人で覗きに来てくださいました。気が合っただけでなく、まさかの出身高校が同じという奇跡で（笑）、一瞬で飯綱町が身近になったことをまだ覚えています。飯綱町で頑張るみなさんを連れて視察に来てくださり、そのあとも一緒に何かしようという話になり、今度は飯綱町に講演に来てくれないかとお仕事をいただきました。（この時有料講演をしたことはなく、見積もなかったので、だいたいいくらくらいなのか?どう書くか?という相談をするという摩訶不思議な関係でした）

日刊machimin　4／19-20②（手塚）

ご縁があり、冬に長野県の飯綱町の方が視察に来てくださいました。役場の方、農

流山の小学生が奈良本の方のお宅に伺い「青空みりんかふぇ」にお誘い。

家の方、デザイナー、まちづくり会社の方、議員などの皆様で。視察はよく受けましたが、そこからさらなる出会いに発展したのは1件目です。

「いいづなフューチャースクール」にて事業チャレンジをされてらっしゃる性別も年齢も様々の方々に「継続拡大のための刺激を！」ということで、企画の磨き方やチームでビジネスをしていくにあたり、「machiminが1年やってきたこと」が参考になるのならと僭越ながら説明しました。

みなさん事業者なので、具体的な質問がかなり飛び交いました。それらを受けて対話しながら、みなさんがこれから何をしたくて、何が気になっていて、いま何につまづきかけているのか、なんとなくわかりました。事業の内容が変わっても、場所が変わっても、基礎部分は共通なんだなと感じました。

現地に視察、宿泊もさせていただきましたが、「お客として」新しい場所を案内されながら食や空気を体感し、農家さんの古民家に泊まりもてなされ、お土産を買い、改めてmachiminでの取り組み・商品の個性・こだわりについて気づきがありました。つまり、私は教える人であり、教えられる人でした。

コミュニティは、物理的な距離を超える連携すら可能である事実を知り、さらなるつながりが想定され、これからが楽しみです。（手塚）

その後、吉村さんと何度も会話を重ね、飯綱町役場のみなさんともすり合わせ、2020年8月の企画実現に向け、7月にはmachiminスタッフ1名を連れて飯綱町に日帰り作戦会議にも行ってきました。飯綱町を代表して集まった方々と一緒に作成した企画名は「価値交換プロジェクト」です。どちらかがやる側で、どちらかがやってもらう側になるのではありません。子育て世代の一極集中移住により小学生であふれて夏の居場所がない流山市と、小学生が1名もおらず限界集落に近づいている飯綱町奈良本地区で、「お互いのまちの強みを活かして、お互いのまちの課題を解決する」という企画です。時には先生と生徒の立場を逆転させることでアップサイクルを重ねたmachiminを、「飯綱町でも再現できるかどうか」まちを盛り上げたい人、凸版印刷㈱、農家さん、区長や集落支援員の方たち、町役場の方たち、そしてmachiminのみんなで、現地の様子を見て聞いて一緒に丁寧に考えていきました。

ただの旅行のような扱いではなく、互いの人生に影響がある企画にしたい。「飯綱町にあるものと流山のみりんをコラボさせて商品開発につなげて…流山市の小学4－6年の夏の居場所として毎年…不登校児等の居場所や就職先に…移住でも2拠点移住でも観光でもない継続的なかかわり方に…次の季節には、さらには…これを事例に国の政策に…」と妄想は無限大に膨らみました（笑）。

まずは一緒に行く小学生の募集、説明会、事前学習、などをはじめとするマインドセットを1ヶ月かけて進めました。流山市やみりんの勉強、まちを元気にするって何か、どんなモチベーションでいくのかを話し、同時に「machiminスタッフとして」行くのだということを伝えるために全員に名刺も作りました。最初はぽかんとしていた子も、ほどよく背伸びしたような緊張とワクワクを抱えて参加の準備をしてくれました。

怒涛とはこのことかと思うくらいに大変でしたが、これは「仕事」でした。つまり、市外に出て実践する、プログラムを作り運営するということに、企画費をくださいました。相手のためになることと自分たちのためになることを組み合わせて「仕事」として進める体験は、福祉事業の自立への一歩のように感じたのです。いままでボランティアでやってきた企画や、その中でつけたスキルや実績に課金されたということでした。（一度課金されると自信がつくことはわかっていました。大変ありがたく、一生忘れません）

さて、子どもたちとの約1ヶ月の準備も終わり、いよいよ飯綱町へ！

日刊machimin　8／19（橋本）

第6弾移動machimin、長野県飯綱町奈良本地区での「価値交換プロジェクト」の1日目。午前中はめいめいに流山から長野へ移動。小学生は「流山おおたかの森駅」に集合し、スタッフの車に乗って移動しました。4時間の長丁場でしたが、みんな元気に奈良本地区に到着しました。

はじめに奈良本地区がどのような場所か、現地の方に教えていただきました。季節ごとにどんな景色になり、同時にどんな問題が発生しつつあるかなどをレクチャーいただいた後は、実際に外に出てフィールドワーク。鳥獣害って具体的にどんなこと？ どんな動物がくる？などを聞いたりしました。

そこここに、りんごの木！ りんごはいくつかの品種を作っていらっしゃるそうで、実がまだ緑のものから、黄色のもの、すでに赤いものなど、いろいろでした。驚いたのが、ミントやヨモギが野生でもりもり生えていること！ 採り放題でした。なんて贅沢。その香りの良いこと！

その後は3日目の「青空みりんかふぇ」や夕食懇親会のお誘いに、地区の各お宅をご訪問。概要を伝えながらチラシを手渡しし、名刺を渡してご挨拶。雨脚が強くなり時間も少ない中でしたが、小学生たちは時には走りながら配り歩いていました。そして夕食懇親会。雨だし、どれだけの方が来てくださるのだろう…と思っていましたが、かなりたくさんの方が来てくださり、本当にびっくりしました！ 男子3人が奈良本の摘果りんご※と流山のみりんを使って準備した各おみやげ約50食も全て配布。「これにも、あれにも、りんご入ってるの？ 使ってくれてるって、嬉しいね！」とのお言葉も聞くことができました。

※**摘果りんご** りんごは1枝に5つなるとすれば、甘くておいしいりんごにするために、そのうち4つを摘果して捨ててしまいます。渋くて食べることができません。要は、廃材です。ここで廃材アップサイクルの考え方を採用しました。（手塚）

奈良本のこと、流山のこと、machiminのこと、たくさん交流させていただきました。奈良本のみなさんはオープンマインドといいますか、屈託なく、いろいろなお話をしてくださり、会が進むごとに親交が深まっていくような、そんな感じがしました。…とまあ、一応文章にまとめてみましたが、なかなかの濃い1日で、何が起こったのか、それを明確な言葉にするには少し時間がかかりそうです。とてもとても、貴重な経験をさせていただいています。明日からもお天気が悪そうですが、工夫して活動していきます！（橋本）

日刊machimin　8／21①（佐藤）

長野県飯綱町奈良本地区での移動machimin3日目。今日はいよいよ「青空みりんかふぇ」です。お天気がなんとかもち、予定通りのスケジュール・場所で開催することができました。

たくさんの方が来てくださり大盛況！　昨日の試作を経て、おしながきは以下の通り。りんごは全て、りんごを甘く成長させるために間引いて廃棄する「摘果りんご」を使用しています。

①タピオカ風みりんごソーダ
みりんシロップのソーダ割りに、みりんと摘果りんごで作ったグミを細かくして入れました。
②ビール風みりんごゼリー
角切りの摘果りんごを入れたみりんごゼリー。青空のもとでみんなで乾杯しました。
③みりんグリッシーニ みりんごジャム&みりんキャラメル添え
みりん入りのグリッシーニに生ハムを巻き、摘果りんごとみりんで作ったジャムにつけて。ハムを巻いてない部分はキャラメルクリームをつけて食べていただきました!

みなさん「このりんご、摘果りんごなの!?」「これ、みりんなの!?」と、砂糖不使用であること、その甘みのスッキリ感、摘果りんご×みりんの美味しさに驚かれていました。小学生も、自分たちが考え作ったものをおいしいと直接言ってもらえたことに、とても喜び、ホッとしていました!
片付けて公会堂に帰りランチをとった後は、「青空みりんかふぇ」の振り返り。次につなげるため、小学生とスタッフで、それぞれがいま感じていることや、奈良本

の方からの感想やアドバイス、改善点などを共有しました。（佐藤）

このプロジェクトで大切なことは「継続すること」で、事後で2点工夫しました。

1点は、「楽しかった奈良本へまた行きたい」「好きになったりんごをもっと知ってほしい」というみんなの気持ちを継続させるために、飯綱町が実施している自分のりんごの木を持てる制度「りんごオーナー」になることでした。それに必要な約3万円を半年かけて自分たちで稼ぐというプロジェクトに発展させ、摘果りんごとみりんを煮詰めて作る「砂糖不使用のみりんごジャム」を開発し、それをクッキーに挟んだり、紅茶に混ぜたりとレシピ開発をして、パッケージをデザインし、市内のイベントに出店し物販し、営業トークを作り、自分たちのブースに来て話を聞いてもらうためのクイズを作り、別のワークショップの帰り際に買ってもらう流れを作り、もう本当にいろんなチャレンジを全員が柔軟に行い、無事目標期間内に目標利益を達成できました。

もう1点は、一緒に行った子どもたちとのかかわりを他にも展開させることです。長くかかわる中で知ったそれぞれの興味や強みをもとに、別のプロジェクトにアサインしました。飯綱町に行った際に体験したブッシュクラフトに興味があった子とはmachimin3（第5章参照）で講師になってもらったり、自分が作った食事を囲んだコミュニケーションで相手が元気になる様子が嬉しかったという子たちとは、machimin2（これも第5章参照）で多世代交流のまかない食堂（子ども食堂）を運営してもらっています。何かを行動に移すと、「もっとこうしたい」「これが好きだ」「これが上手になった」ということが発見されるのは、他の章でもお話しした通りです。中高生になったら、社会起業家になると言いだすのではないか…と想像しています。

CHAPTER

5

machiminが多拠点に進化・発展する

1章ではmachiminができるまでを、2章では研修の仕組みを、3・4章ではスタッフや関係者の具体的な事例をご紹介しながら、machiminというコミュニティがアップサイクルする様子をお伝えしました。

まちの人事部長が目指すのは、個人の「~したい」という望みを自分の力で実現できるヒトを増やすことです。この問題を解決したい、自信をつけたい、引っ越したばかりでまちにつながりが欲しい、いつか自分の店を持ちたい、働き方を変えたい、個人事業主として独立したい、まちにこんな機能が欲しい、コミュニティの作り方を知りたい…ヒトの数だけ望みがあり、それに応じて研修の内容や研修終了の定義も異なります。ただし、研修を終えmachiminを巣立つ準備が整ったか否かを見極めるポイントは共通しています。

研修を終えるタイミング

——ヒトの自立

ヒトの精神的・経済的な自立とそれを促す周辺環境を整えることがmachiminで行うヒト研修ですが、ヒトの自立＝研修終了とした時に、個人の意志でmachiminや私とのかかわり方を決断することが研修（まちの人事部長による人材育成）の「最終章」です。人材育成の「最終章」で何を行っているのかに焦点を当てて説明していきます。

最終章に行き着いたかどうかを判断するポイントは次の3要素に集約されます。

①自信や自己主張がある
——自分は何がしたいのか・何ができるのかを第三者に伝えることができる
②物理的な条件が揃っている
——本人が必要とする収入を得る見込みがある
——必要な仲間がいる
——活動のための時間を意志をもって確保している
③自分の判断軸を持っている
——何に関しても自分で意志決定を行うことができる

実は興味深いことが起きているのです。「自立できる段階」になっても、研修後のスタッフはなぜかmachiminから離れていかないのです。かかわり方を見直した上で「machimin

のスタッフをやりたい」と言ってくれることがあります。当初は、①②③がそろうと、「machiminにいる意味はなくなり、ここでの活動時間が無駄に感じるだろう。そうして出ていくことを選択し、まちにヒトが輩出される」というイメージを持っていました。

人材育成におけるキーパーソン、橋本文（はしもとあや）さん

machiminにとって、なくてはならない人がいます。それが橋本文さんです。

市民団体WaCreationの頃から私とのやりとりが始まった橋本さんは、machimin開業後店頭スタッフをしながら得意なイラストをちょこちょこ描いて副業をしていましたが、2019年2月にはイラストレーターとして独立されました。次第に、働くママとパパを支えるWebメディア「日経DUAL」での漫画連載、NPO法人全国こども食堂支援センター・むすびえが公募した「こども食堂の漫画化」プロジェクトで最優秀賞受賞&ホームページ上で漫画家としての連載、に取り組むようになります。羽がついているかのように飛び立つので、見ていて気持ちよかったです（笑）。

橋本さんが独立する前に1つチャレンジをしました。

machiminでは橋本さんの「流山本町まんが巡り」プロジェクトを通じて本町の歴史を漫画にするだけでなく、NPO法人流山史跡ガイドの会と本町ツアーを開催していますが、橋本さんは積極的にコーディネートにも関わっています。橋本さんの「流山本町まんが巡り」をカラーで印刷しmachiminに置いておくと、様々な方が「おもしろい！」「かわいい」「私もここに行ってみたい」と評判が良かったのです。そこで、既存のイラストを元にして、「はしもとあやにしかできない」ガイドブックを有料販売してみようということになりました。観光MAPは市も発行していたのですが、そことの違いは絶対に出しておきたい…実際にツアーを組んで運営しているからこそ、いろんな人とお話を積み重ねて具体的なエピソードがあるからこそ、主観的だからこそ、良いものになるだろうと話していました。

できれば、今の観光MAPでできていない英語を添えるということをやっておくと重宝されるに違いない…。せっかくなら5ケ国語くらい一気に訳をつけちゃおう！と盛り上がりました。しかしですね、2人とも英語も話せないことを忘れていました。あわててSNSで「一緒に多言語でガイドブックを作ってくれる人に来てほしい」と募集をかけると、数ヶ月前に息子さんと一緒にカキ氷を食べに来ていた翻訳家の伏木賢一さんが興味を示してくださり、「英訳しましょうか」と連絡をくださって、企画が成立します。

そこからが試行錯誤の連続でした。試し刷りをしてみると思ったより見栄えがよくない…という問題に直面。という訳で、この段階でもmachiminを訪れるお客さんのアドバイスをたくさん聞くことにしました。正確な英訳をするよりも海外の人が好む表現に直したり、ワードで打ち込んでいたフォントの文字を手書きの文字にしたり、営業にきていた印刷会社さんに用紙の種類を相談してみたりと様々なトライ&エラーを繰り返します。また、英訳にする意味は海外の人にも読んでもらうことでした。そのことを忠実に考えると、日本語で書いている時には全く意識しなかった視点にも気づきました。

海外の方といっても英語圏じゃない方もいて、でもそういう方は簡単な英語なら読める場合が多い。日本の小学生だけでなく、そうした方たちでも意味が取れ、流山本町を旅先の候補として調べようと「アクション」できるような英語表現にしました。（橋本）

こうして「流山本町クスッとおさんぽ絵日記」は完成し、活動を見てくださっていた方

絵日記制作は様々な視点からのフィードバックを参考に。まさにコミュニティの強み。

にお声がけ頂き、流山おおたかの森駅前開催のHarvestival（ハーヴェスティバル）の企画展とのコラボもさせていただきました。

橋本さんにとって新たな発見は、大きく2つあったみたいです。1つには、「売りものとして自主制作して、自分の作ったものが形になること」がとても嬉しいということ。自信にもつながったそうです。もう1つは、コミュニティにいることで数十人からのリアルなフィードバックを多面的にもらえるという強みがあることを実感し、誰かのアイデアや考えを理解しながら発展させて「コラボレーションで物事を進めることができること」が得意なのかもしれないとわかったこと。これらはリアルな感覚ですよね。

この出来事も、中にいるヒトがアップサイクルしているからできることなんだと実感します。machimin開業前から「いつかこんなことができたら」と思い描いていたことでした。

橋本さんは様々に日々起きることを素直に受け止めて、考えて、受け入れて、一歩ずつ毎日確実に進んでいくタイプでした。それを1年も続けていると、単純にイラストが描けるという漠然とした状態ではなく、以下が橋本さんの中で整理されていました。

- できること＝あるコミュニティに属しながらその内外で生じたことをイラスト・文章・漫画で表現すること
- やりたいこと＝その活動を通じて地域や特定のコミュニティの課題を広く伝えること

「これだ」と橋本さん自身がシンプルに言えるようになっていました。つまり、ヒト研修を通じて自ら言語化できるようになったのです。そうして先述のように、できること・やりたいことを叶えるようなお仕事でどんどん多忙になり、machiminを介さずともある程度の収入を安定的に得られるような環境も整いつつありました。

できること・やりたいことの詳細が明確になり、経済的にも自立の兆しが見え始めると、自身の「〜したい」を実行するための時間が必要となります。同時に、研修はありがたいものではなく、時間を奪うものになるため、研修に割く時間を減らしたいと思うようにもなります。特に橋本さんの「仕事」は、PCに向かって1人でやった方が進む仕事です。

machiminにいると家で仕事をするよりも作業の効率が悪いのではないかと思いきや、橋本さんに関してはmachiminにいることで得られる経験が、個人事業主として受注している仕事（実在のエピソードを元に子ども食堂に対する世間の理解を深めるための漫画制作をしています）にダイレクトに良い影響を与えているようです。machiminにいて、年代や性別も異なるいろんな方とコミュニケーションをとることで蓄積された情報が、漫画の登場人物やストーリーを考える際にとても役立っているとのことです。他にも、約3年活動を共にするなかで、うまく言語化しきれてはいないけど感じている居心地の良さやmachiminという場への期待があるとも言っていました。

こうした本人にとってのメリット・デメリットを踏まえつつ、個人の意志でmachiminや私との関わり方を決断すること、それが決定的に重要です（私からの提案やアドバイスは、あくまでも選択肢の参考程度に捉えてほしいのです）。

machiminの手綱をはなすとき

ある日、橋本さんから「言語化できなかったことが、できた」と日常の中で報告がありました。

イラストの仕事は1人で取り組み、コロナ禍によりオンラインで完結する事も増えましたが、それだけに実際顔を合わせるといったオフラインの価値がくっきりしたと感じます。私の場合、machiminの縁側で雑談するといったオフラインの時間を作ることでリフレッシュでき、生活や仕事に潤いや余裕が生まれると感じています。

（橋本）

いつも新しい発見や気づきがあり、悩みがあり向き合って、どんどん新しくなります。

また変わるかもしれませんが、それでいいんです。現在はこれなのです。（2020年9月末現在）

「研修の終了・卒業」を互いに意識したときに、橋本さんや第三者に気持ちを聞いてもらい頭を整理したり、想像していなかった本音をもらったり、気持ちが揺れ動き悩みました。研修の「最終章」の先にどんなかかわりを選択するのか、「私に決定権はない」のです。待つこと3週間…。

やめるというイメージはわかない。今までと同じようにスタッフをするけど、もう研修はしなくていい。スタッフに入る日数を減らす相談をしたいけど、私はmachiminをやめない。（橋本）

「研修の終了・卒業」を意識することで、自分に1つの変化を感じていましたが、橋本さんの判断を聞いて、自分の中でしっくりきたことがありました。

machiminを運営するなかで、スタッフとしての振る舞いや考え方、人との繋がり方、コーディネートなどさまざまな観点で、私より橋本さんがいるmachiminの方が、場としての理想のあり方に近いと薄々感じ始めていました。

２０１９年10月から次のmachiminができる場所はないかとゆるく探していましたが、このタイミングで決めにかかっている自分がいたのです。なぜなら、すでに現在のmachiminが私の場所ではなく、橋本さんを中心とするさらに新しいバショにアップデートされたのではと直感的に感じはじめたからです。そう考えれば橋本さんが今のmachiminを去るという選択をせず、「研修は終わるけれど、machiminとのかかわりを変えながらも居続ける」という選択とするのもわかる気がしたのです。

ここから居なくなるのは私かもしれない。むしろ、それが必然な気もする。

machiminという場からヒトが卒業し旅立つのではなく、ヒトとmachiminを育て、そのヒトが運営できる・任せられる状態になったら、私が出ていくのかもしれません。そうして、常にリニューアルされ流動的になります。「自律の先にある自立、そして自治」になるのでしょう。

もっとも、「センセイになる」という研修終了後の活動形態については、あくまで選択肢の1つにすぎません。ビジネスパートナーとして共同事業を立ち上げる・共同で商品開発をする、㈱WaCreationの一員として社の総務・経理業務や人事業務を担当する、個人として次のステージの「自分自身の単価を上げる」研修に参加する、お客さんや常連に戻る、など他にもかかわり方の選択肢は多様にあるはずだと考えています。

machiminを分解し、運営していくということ

machiminはまちの課題の数、ヒトの数だけできるはずだということ。さらには、machiminの場の空気感や活動内容は、そのヒトの個性で彩られていき、まちを良くする様々なmachiminができていくということ。machiminの今後の展開として、このようなイメージが湧いてきました。もやもやが一気に晴れました！　それを今いるスタッフにも共有して合意できるか確認し、「それを正解にすると決める」ことができた日は、興奮で眠れませんでした。

そう考えると、すでに研修を終えつつあるヒトが橋本さん以外にも複数いる状態だった

ので、複数のmachiminの用意を視野にいれなければならないと感じました。

machiminを約2年半運営し、たくさんの人に研修に参加してもらう中で、私自身がセンセイにしたいと思えるヒトがたくさん登場しています。個人の〝好き〟や〝得意〟から始まる挑戦は、失敗の改善を無理なく積み重ねていくことで進みますが、(正確には、「無理なくちょっと無理をする」です)それを主体的に楽しんでいるヒト＝スタッフは、なぜかとても魅力的です。その存在こそがmachiminの魅力そのものだと思っています。心理的に制約になっている壁が「架空」だったことを証明してくれるヒトたちの考え方や生き方、その姿は、他人に気づきや学びを提供することさえあり、教科書のない授業を展開するセンセイのような存在です。

ただし、コミュニティスペース兼観光案内所として橋本さんとスタートしたmachiminに、複数のラボやセンセイが共存していると、「結局、machiminは何をしている場所なのかよくわからない…」と言われることが増えてきました。

大切なのは〝1人のセンセイにつき1つのバショ＝教室〟をもつこと。

・参加したいと思う人にとってわかりやすいバショにすること
・その教室のラボ機能を強化すること

だと思っています。

「したい」という気持ちを叶えるには、ふんわりしている妄想の世界の解像度を上げることが重要です。研修では具体的に、現実的に、小さな一歩からできるように因数分解して伝え、時には一緒に進みます。これまでは、machimin（現machimin1）を運営しながら、将来的にまちのセンセイになっていくヒトが〝本当は何がしたいのか〟、〝何が強みで弱みなのか＝どんな強みを持つどんな仲間が必要なのか〟、〝活動を継続するにはどんな条件が求められていくのか〟を探りつつ研修を行ってきました。そして、複数のヒトが研修を終えた今、machimin1で蓄積してきたラボとしての成果をセンセイ単位で一気に因数分解しました。混在した状態を、「同じ課題意識をもっていて強みが異なる人でチームにする」ことが重要でした。

つまりそれは、こういうことでもあります。オープンにして多様性でぐちゃぐちゃになるまで広げて、お客さん・常連さん・スタッフに自然と分かれてきたら「スタッフ」に徹底投資し、さらにスタッフの個性がはっきりしてきたら、それぞれの強みを軸にコンセプトを作り、そこに足りない存在を求めてまた多様性でぐちゃぐちゃになるまでオープンにしていきます。その連続で拡大成長し、自立したコミュニティになり、1センセイ1machiminになれば、まちの課題の数だけ、ヒトの数だけ、machiminができることになります。

現時点（2020年9月末現在）では3つのmachiminが稼働しています。

machimin1：（流山市流山1丁目）

流鉄流山駅舎の旧タクシー車庫を改装し、〝おばあちゃん家の縁側のような観光案内所〟というコンセプトで、＃Ryutetsu Area walking lab.を進めるバショを、橋本センセイと。同エリアで、〝みりんが主役の菓子製造所〟というコンセプトで、＃本みりん研究所 を進めるバショを、佐藤センセイと。

machimin2：（流山市東初石2丁目）

初石駅の空き家を改装し、〝まかないを作って食べる駆け込み寺〟というコンセプトで、子ども食堂の機能をはじめとした#廃材アップサイクルラボ を進めるバショを、鹿島センセイと。

machimin3：（流山市前ヶ崎富士川沿い）

空き農地を復活させ農業を体験したり、稲刈り後の「ただの土地」を〝公園のように自由に使ってあそぶ〟というコンセプトで、#こめとやさいとくらすラボ を進めるバショを、岩根センセイと。

machimin4を一緒にやる予定のヒトはもういるので、あとはバショとの出会いがあるまで待つことにしました。エリアは決めているので、活用されずもったいないバショをコツコツ探しています。図書館もいいし、サテライトオフィスもいいし、カフェもいいなぁ。こんなこともいいだろうなぁというイメージはあれど、ただただタイミングがくることを待つしかありません。

人材配置は、アートのように

machiminでは、〝戦略があり、企画があり、そこに人をあてる〟、といった従来の人材配置の方法、つまり、〝この状態を目指したい、こういうプロジェクトを立ち上げよう、だからこの人を集めよう〟という進め方をしていません。

この様子を調理の過程にたとえて、machiminにヒトが集い、研修を通じて育ったヒトがプールされていくことは、冷蔵庫に旬な食材が存在することだと仮定します。

〝料理人〟であるまちの人事部長は、冷蔵庫の中を見渡すかのように、研修で交わした多様な会話や表情から、「これとそれに、あれを合わせたら、各々の素材が活きる最高の一皿ができる！」というイメージを膨らませます。

湧き出してくるイメージに沿って、素材の組み合わせや切り方、分量、下味のつけ方、火の通し方、隠し味など味見をしながら試作を繰り返し、全ての素材が活きるバランスの取れたレシピを丁寧に開発します。

レシピ開発とは、つまり研修の中で知り得た情報、具体的にはヒトの希望や強みをはじめ、弱み・制約条件・癖・価値観・本気度・テンポ、そして何より能力やスキルをうまく組み合わせられそうなヒトをチームとしたときに、どんな企画や戦略を立てればヒトの価値が最大限発揮されるのか（＝素材が最も活きるのか）を考えることです。

ただし、レシピ開発を私1人で最初から最後まで行うわけではありません。「これを実現するには、こんなバショがほしい」というヒトのイメージをその場にかかわるスタッフみんなで詳細に共有する時間を設けます。そのなかで、それぞれの強みを全員で確認し、役割を明確に分け、各々の強みから逆算して準備できるコンテンツを人数分見つけていきます。そうすれば、シーン毎に企画や運営を主導するリーダーが変わることになります。だからこそ、自分の能力を自覚しやすく、チームへの貢献感を感じやすく、自己肯定感を高めながら互いに認め合うことができ、上下固定されないチームの〝関係性〟をつくることができます。

カチッと音を立ててパズルがハマった音が全員に聞こえた時こそ、machimin◯という名の新たなレシピの完成です。

次に、そのレシピが一番引き立つお皿（バショ）を選ぶのですが、食べてほしい相手（ターゲット）や提供するシーン（コンセプト）などもよく考えて選びます。あくまでも、ヒトの「～したい」ありきで箱（バショ）を探し、コンテンツに応じてDIYで自分たちが使いやすいように箱の中身を整えていくのです。レシピの無限の可能性を探る開発プロセスは、まさにアートのようにも感じています。アートのようなバランスで行われた配置配属は、第三者が模倣はできても全く同じにはならないし、なれないでしょう。それでもラボとして、研究・実験・分析を重ねることで、誰もが立ち上げられる仕組みにしてみたいのです。

会社の仕事も、「やらされている」と思ってやるのではなく、本人が「やりたい」ことを形にした体験を通じて「おもしろい」と思うから長続きするし、愛着が湧いてくるのではないでしょうか。まちにそんなバショを一緒に生み出せるヒトを、たくさん世に送り出すことがまちの人事部長の、自身で決めた使命だと思っています。

machiminを「自立する仕組み」にし、のれんわけしていきたい

machimin2のプロジェクトは2020年3月、流山市東初石2丁目にある民家の改修作業から本格的に始動しました。machimin1の時と同様に足りない備品や本等を募りな

がら、お料理が好きな人、農業が得意な人、ＤＩＹが好きな人、Ｗｅｂデザインが得意な人…などの協力を仰いで作業を進め、壁塗りは壁画プロジェクトの縁でつながりのできたニッペホームプロダクツ㈱に「MORUMORU」という手で壁を塗ることができる室内用塗料の協賛を頂きました。コロナ禍の影響で同月27日に開店しすぐに休業という状態でしたが、集まらなくてもできる作業を各々が続けながら、緊急事態宣言解除後の６月１日から毎週水曜日に運営を再開できました。

私たちの食堂の特徴は、「子どもに食べさせるための食堂」ではなく、「子どもと作る食堂」「みんなで作る食堂」だということです。コロナ禍の影響で全国の地域コミュニティは活動の一時停止を余儀なくされるなかでのプロジェクトの立ち上げでしたが、（そもそも、一時はmachimin事業そのものの存続の可能性も再考するほどの危機に見舞われました）多くの人に意見を請いながら事業を継続していると、予定通りにいかずとも新たな発見がありました。

とうかつ草の根フードバンク（ＴＫＦ）の協賛で届くフードロスの食材・庭にできていた野菜を用いて、「あるものを活かして、０円のまかないを作る」という体験教室のような活動を行っていると、コロナ禍で各家庭の負担も増加している状況にもかかわらず不思議と声が集まってきます。どんな声かというと、実は食べに行きたいということではなく、

「自分1人で立ち上げる自信はないが食堂を手伝いたい」、「今できることをできる範囲でやる姿勢に共感している」、「machiminの活動に興味があり、近くにできたので協力しやすい」「こんなモノがあるのですが、必要ですか」など。

machimin1では観光案内所としておもしろい企画・行きたくなる空気を大事にしていましたが、machimin2ではmachimin1で焦点を当てていなかった〝人の優しさ・福祉の要素〟を「前面」に出した運営方針をとることで、違ったブランドが育まれているのだと思います。「どうすればmachimin2がよくなるか主体的に考えて動く」という中で、掃除をする・料理をする・片付けをする・子どもと遊ぶ・庭の世話をする・シニアの話を聞く・相談に乗る・資料を作る・講座を開く・必要物を集めてくる・ミシンを動かす・DIYするなどの「家庭的な活動」も大きなコンテンツになっていました。それならできると安心して参加できる人が多かったです。そして、ご飯を食べながら、対話し理解をゆっくり深めることができました。開始後1ヶ月で早くも8人の協力者を得ることができましたが、会ったことがある人もいれば、会ったことがない人もいました。参加したいという声はmachimin1の何倍も多いです。

machimin2の賑わいに一役買った立役者は、machimin2の準備が始まる2020年1月に小林さんに話を聞いてmachimin1を訪れた鹿島幸さんです。鹿島さんは、3児の母であり専業主婦をしていますが、「machimin2を立ち上げるから備品集めを日中に手伝ってほしい」とお誘いしました。立ち上げから携わる中で、家庭内にいるときとは全く違う会話が刺激的で、〝仕事が好きだ〟ということを思い出したようです。「自分のやりたいことを考えるきっかけにもなり、「いつか社会福祉士の資格を取って仕事にできたらいいなと思っています」とふんわり言っていたので、「鹿島さんの家の近くに福祉専門学校があり、通信で社会福祉士が取得できる。その学校の食堂でご飯を食べながら、隣の人に話しかけ、いろいろきいてみたら？」と言ったことが想像以上に響いていたのか、気づけば本当に入学していました（笑）。「machimin2での実践は、座学と並行することで価値が何倍にも上がる」と鹿島さんが通う専門学校の先生にも応援していただいたことが決め手になったとのことでした。鹿島さんの前向きで謙虚で優しい雰囲気、そして何でもやってみようという素直で主体的な行動がmachimin2の空気をつくっています。

夏休みの居場所づくりとして2020年8月、鹿島さんのお子さんやmachimin1の「子ども店長」を経て中学生になった悠生くん、昨年長野県飯綱町に一緒に行った小学生たち、近隣の子どもたちも集まり、大人と一緒に料理をし、machimin2はまかない食堂としての機能を3週間毎日果たしました。中には学校に行けていない子、心と体の性が一致していない子、反抗期で親とうまくいかない子、いろんな個性も当たり前に交じっています。それは自然なことです。日常に、福祉があるということを体感できました。「コロナ禍によってなくなったもの、やっぱりみんなが欲しいもの、十分に気を付けながらあるものを活かし、みんなでやってみる」ということを体感する夏休みの3週間を過ごすことができたのは、大家さんやお隣の方々の理解があってこそです。

そして、子どもたちがスタッフに育ち、研修を卒業するのを待っています。machiminを体感したことがある、実践したことがある、あの時こんな大人がいた、という記憶がいつか武器になってほしいと願っています。

machimin2の取り組みが視覚化されてくるにつれ、マーケティング色の強いmachimin1の特性が浮き彫りになってきました。2020年のmachimin1は、サテライトオフィスとして開放するかたわら、ついに喫茶営業免許も追加で取得し、佐藤さんが新しく開発した「みりんコーラ」を商品化して販売すると暑さも相まって大好評。machiminにとって、商品開発ができるということは、withコロナの突破口の1つかもしれません。

machiminができるずっと前から近所の農家さんに空いている田畑を借りて実施していた農作業は、岩根さんにとってお金を稼ぐ手段ではありませんでした。岩根さんが取り組んできた活動とマーケティングを組み合わせて、2020年4月、machimin3として再出発することにしました。田んぼのオーナー制度・稲刈り後の土地をプライベート公園とし、三密を避けられるイベントの開催を進めており、「稲刈りをする前に」約630kgのうち617kgの販売先が決まった状態で、来年こそオーナーになりたいと1年後の予約まで入るようになりました。また、岩根さんの人柄を公開することで、「岩根さんから買いたい」と現地に会いに来てくれるファンも増えました。もうすっかりマネタイズできています。2019年に米を作るために赤字からスタートし、収穫後販売して少しずつ0にしていったこととの違いを岩根さんと一緒に楽しんでいます。

2020年9月末時点でmachimin 1・2・3はすべて黒字です。こうして「自立する仕組み」になったと感じられるとき、私は完全に手綱を離すことができ、そして「のれんわけ」のイメージで全国にmachiminが増えていくのかもしれません。自分の暮らすまち、暮らしたいまちであなたが何をするか。ひらめきやきっかけを生み出して「私にもできるかもしれない」と行動に移す一助になれれば幸いです。

まちをみんなでつくる。

あなたに会いたいです。

CHAPTER

6

CROSSTALK

流山市長（本物）

×

「株式会社流山市」の人事部長（自称）

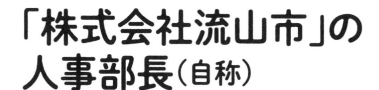

――お2人のはじめての出会いは8年前、2012年に流山市で開催したGoogle社協賛の中高校生向けの体験型イベント「Hack 4 Good Teens」での名刺交換に遡るそうですね。井崎義治市長、そして流山市の立場からみて手塚さんに対してどんな印象を持たれたのでしょうか。

井崎　私にアプローチされてこられる方には3パターンあります。1つ目は私に親近感を持って声をかけてくださる方、2つ目は自分の仕事やサービスの役に立てたいと思ってこられる方、3つ目はまちや地域の役に立ちたいと思って活動中または企画をあたためている方。手塚さんは流山史上初のイベントでお会いしたので、将来何かおもしろいことを考えてくださる方かもしれないと期待しつつご挨拶しました。具体的にどういうことを始められるのかは、微塵も想像できませんでした（笑）。

手塚　当時私は流山市に引っ越してきて1カ月もしていないタイミングで、かつ、〝母〟でもなかった時です。引っ越すにあたり市長のWeb記事を拝見していて、「ビジョンに基づいた戦略として市役所がマーケティング？　市長ってどんな方なんだろう？」と気になっており、どうしてもお会いしたくなってイベント会場に井崎市長もいらっしゃるという事前情報を得て、見学者として参加しました。何かを始めるので会いに行く、というのではなく、私にとって「社長が来る入社説明会に参加する」、「経営者に直接会社のことを聞いてみたい」という感覚でした。

私はそもそも、流山市を変えたいとか、自分がこの世の中で一番新しいことをしたいとか、目立ちたいとか、全く思っていなくて。〈いまここで必要なことをしたい〉という欲求は強いんですけど。それでいうと、前職で人材という切り口で経営コンサルティングをしていたのもあり、経営と現場を結びつける重要性を体感していたので、流山市に転入後、市長の市政や基本計画を読みました。市長は一円も無駄にしないって宣言されていらっしゃる。では、一円も無駄にしないってなんだろうか。突き詰めて考えると、市民自身が戦略を理解した上で主体的に行動ができるのがベストだ、と思えたんです。それで、私自身を勝手に「〝株式会社流山市〟の人事部長」にたとえて、市民を従業員と仮定して、ものごとを捉えなおしてみました。「経営がうまくいく理由もいかない理由も、最後は人の問題にいきつく」というのは持論として持っていたのも影響しています。

井崎　市長を経営者、市民を従業員、ご自身を人事部長に仮定して市政を考えること自体、独特なアナロジーですね。流山市には意識も意欲も高い方が年齢を問わず多くいらっしゃるのですが、特に最近市民になられた女性の中には想定外のおもしろい企画を驚くような方法で具現化してしまう方々が多くて、次に何が起きるのかときめく感じですね。手塚さんはその有力なお一人です。

流山市民はたくさんの市民活動を行い、様々な分野で実績を出しています。しかし手塚さん（たち）の企画は、今までの事例の主旨と同じであっても、スキームが全く違うので毎回驚かされます。

手塚さんは私に、これから何をどのような仕組みでカタチにするのだろうという「期待感」と、既成概念を持つ人には理解不能な芸術のような「驚き」を与えてくれます。例えば、※JICEのホームステイを実行したときのことです。流山市では国際交流協会が、子育てが終わって時間も場所もある方々のご家庭を中心にホームステイを実施していただいています。ところが、手塚さんの企画はご自身の子育てで忙しくて、精一杯と思われる幼少の子育て中のご家庭を中心に実施するものでした。目から鱗でした。

手塚　勝手に「これをやります！　部長の仕事」をとにかく全部ざっとみて市民の感覚と部長の概要説明を比較して、「ここここが進んでない、これにもっと市民が参加するといいかも」と思ったところのひとつが流山本町・利根運河ツーリズム推進課でした。海外、いわゆるインバウンドの交流や国際交流などの推進など、思いっきり市長がマニフェストの中で「マーケティング、ツーリズム！」とおっしゃってるのに…と感じたんですね。流山本町・利根運河ツーリズム推進課の窓口に市のマーケティングで来た転入者が行くことがおもしろい、1番初めに行った者勝ちだと思っていましたね。今だからお伝えしますと、観光案内自体に私は興味がなかったのですが、戦略上は絶対に必要なのにまだ誰もしていないのでやることにしました。勝手に（笑）。

最初の名刺交換から8年が経ち、まさか今日、こんな風に1対1でお話しすることになるとは思ってもいませんでした。

※JICEのホームステイ　対日理解促進交流プログラム「JENESYS2017」および「JENESYS2018」の一環として、ベトナム・ラオス・フィリピン・シンガポールの学生が来日し、「日本語コミュニケーション・日本文化交流」をテーマとしたプログラム。WaCreationは「縦横斜めつながるホームステイ」として2017年はベトナム、2018年はフィリピンの学生をアテンド。

流山市民の潜在的な能力を最大限に活かすには？

井崎　もう8年経ったのですね。手塚さんへの、私の第一印象通りになってきましたね（笑）。私が流山市長になる前の話です。サンフランシスコの都市計画コンサルタント会社で働く海外生活を終えて、日本に戻り、最初に勤務していた会社で建設省（現国土交通省）から先進諸国の住宅政策の調査を受託したときのことです。フランスの住宅政策を研究するため異なる会社から3人が配属されました。休憩時間の雑談でその3人全員が流山市とゆかりがあることがわかりました。私は流山市在住で、他の2人は流山育ちの元市民で、結婚を機に都内に移ったそうなんです。しかし、地味なイメージだった流山市のことをこれまで話したがらなかったのです。今でいうシビックプライドの醸成ができていなかったのですね。

同時に、いわゆるビジネスの最前線で活躍されている方々が流山市にたくさん住まわれているのに、市役所がそういうプロフェッショナルのノウハウを吸収しようとしたり、日本中、世界中で様々な経験を持つ市民と一緒に流山市民のためになることを起こそうという姿勢がありませんでした。
むしろ、市民が「まちのためになにかやりたい！」と動き出すことを警戒し、前例踏襲の市役所の中の発想以外のコトが起こることについて怖れている雰囲気がありました。そこで流山市の方針として、行政がレールを敷いた「市民参加」ではなく、「市民の知恵と力を活かすまち」として市政やまちづくりに活かせたら、流山市は飛躍的におもしろくなるだろう、と市長になる前から考えていました。

——「市民の知恵と力を活かすまち」。流山市民との間で交わしているマニフェストの項目のひとつですね。

井崎　はい。とにかく市民の活動に対して私たちが障壁になってはいけないということ。私たちは時間と場所を用意して、そこで市民に力を発揮していただく応援ができればという思いです。また、ふた昔前の市民参加は、市民の方から市に補助金を求めるケースが少なくありませんでした。

手塚　私が最初に参加させてもらったのが、2017年のシビックパワーバトルでした。

当初はそれがどういったものなのか、把握できていなかったけれど、いざ参加してみたら市役所と関わる上でのバランスが見えてきたんです。市役所と市民、それぞれが譲れない個性はどこか？　ここ3年くらいでわかってきました。

エピソードとしては先ほどの話にもつながりますが、流山本町・利根運河ツーリズム推進課から「観光案内所をやってほしい」と言われたときに、「私は観光案内所をやりたいとは一言も言ってない」と思ったことです（笑）。

まずその日は寝て、1日考えました。そうなると、市としても欲しかったものができるのだし、駅前の「一等地」を紹介したのですから、絶対に成功してほしいと思うので、オフィシャルな補助金のほかに、きっと地元との付き合い方を教えてくれたり、困ったことを相談させてもらえたり、人脈ももらえるかもしれない、そうしたバックアップをしてくれるかも…と。こうした機会をいただけることもなかなかないと思い、スタートしてみると、当時課長（現・経済振興部長）の恩田一成さんからまちの事情についてレクチャーを受け、時間が許す限りの挨拶回りに付き合ってもらいました。姿勢・順番・説明の仕方・持参物の有無などなど。他に、「是非成功してほしい。でもあなたはまだ何も知らない。何かやるときは必ず事前に相談を、泣きたいことがあったら窓口に」と。私の自由な発言・自由な行動は、成功に行くか失敗に行くか、わからないと言われていると受け止めました。それでも、リスクをとって賭けてくださったんだなと思って。

市民の方に「市役所に言いつける！」と怒られたことも2回ほどありましたが、きっと他に私が認識していないものもあるかと。おそらく、私たちへのクレームなどは、一緒に挨拶に回ってくださった恩田さん、つまり市役所のみなさんが対応してくださっていたのかもしれないと思います。その上で私のメンターになってくださっていたということですよね。

「高齢者ふれあいの家事業」に認定いただく際にも、過去の経験者は市民団体をはじめとする非営利団体が運営していたので、「株式会社だから金儲けなんだろう」と批判を受けることもありましたが、そうではないというしっかりした説明を高齢者支援課の当時課長の石井さん（定年退職されました。）がみんなの前でしてくださっていました。誤解を受けないような運営へのアドバイスも当然事前にいただきました。

振り返ると、「私と付き合うことは市役所にとってリスクなのに、それをわかって一緒にチャレンジしてくれている。これは〝市民の知恵と力を活かす〟というミッションの1つだったんだ、協業をする上で、バランスをとる際に重要なのはお金だけじゃないんだな」と思いました。

井崎　今のお話にあったように、市民と一緒に考え行動できるような職員の意識改革には2期（8年）ほどかかりましたね。でも、職員が1人ずつ、また1人ずつそれを理解し、実践して、市民のみなさんの知恵と力を発揮して頂いた事例が積みあがっていく。その成功体験によって「市長が言っていた『市民の知恵と力を活かすまち』をつくるのはこういうことだったんだ」と職員に徐々に理解が広まってきたように感じています。

「自分が住みたいまちをつくるために転入する」という発想

手塚　自治体を株式会社にたとえると、企業が採用を行うように、自治体は住民を選べないのが苦しいなと、思います。誰でも自由に入社できちゃう（笑）。これって、私がやってきた企業のブランディングより難しいのでは？と。それが私をかえってワクワクさせました。

流山市のマーケティング活動は、私にとっては共働きの子育て世代への採用活動というイメージですが、ポイントは「流山に来た後にどうするといいか」ではないでしょうか。

女性だけでなく男性も育休中に、まちのなかで普段の仕事とは違う筋肉をつけていくのはおもしろいんじゃないか？と私自身が地域ボランティアをしたときに思いました。友人ができて行政や地域とつながりができて、通勤もない、参加費用もない。こんなにも自分が成長できるのに、デメリットがないじゃない！ということに感動しました。

例えば、赤ちゃんを抱っこして地域活動してるとき、「そんなことをして赤ちゃんがかわいそう」と言われるのではないかと思っていました。（見知らぬ人に何回かは言われましたけど）市役所の人には実は言われず、「未来はこの姿が当たり前になっているはずです」、「ガッツがある」と言われたのは意外でした。だから、ここでおもしろい起業をする人が増えているのかもしれないですね。

井崎　市には市の防災計画を審議する32名の委員からなる防災会議があります。全員、市内外の各種団体のメンバーで、しかも男性でした。H29年に市民公募を行った結果、5名の市民のうち2名の女性と、自主防災組織にも2名の女性が委員になられました。それ以降、防災会議はとても活発になり、子どもの視点、女性の視点も熱く議論されるようになり、「防災計画」「防災対策」が市民目線に基づくものに大きく変わりました。

私は、市長になる前の仕事で、北米、南米、アジア、アフリカの１００都市ほどで仕事をしました。そこで確認できたことは、中古住宅でも売れ続ける、人気の高い住宅地は国の経済水準や社会体制にかかわらず緑が多いということです。日本でも公園や街路樹の有無は資産価値に影響を与えます。そこで、流山市では積極的に街路樹を植えてきましたし、その努力は継続中です。ところが、家の前の歩道に植樹されることに反対する方も少なくありません。「もし、街路樹の葉っぱが1枚でも自宅の敷地に入ったらすぐに市役所を呼ぶから！」と。しかし、そのような方にも担当職員がひるまず直接伺って、何度も説明し理解を得て、ようやく街路樹をその方の家の前の歩道に植えられました。もちろん、了承を得られない方もいらっしゃいますが。

手塚　それでも、緑を増やしていこうとするのはどういう意図があるのでしょうか？

井崎　緑が増えると、景観もよくなるし、不動産価値も上がります。しかし、そもそも緑を増やすことの価値を自分の家の前も含めて共有できる市民であることが前提です。そこで、市としては緑豊かな良質なまちづくりにこだわっていることを「都心から一番近い森のまち」としてアピールしています。加えて、最近の10年は「住み続ける価値の高いまち」

をキーワードに市内外に発信しています。そうすることによって、流山市の目指す方向を共有された方々が転入され、そのような市民の割合が増えるのではないかと思います。このような努力の積み重ねにより、緑豊かな良質な住環境と快適な都市環境を創出しやすくなってきました。その結果、さらに緑に価値を置く市のベクトルを共有した方々が流山市を選び市民になられる、そんなプラスのスパイラルが進行しているのです。

手塚　なぜ、私は流山市に心を奪われたのか。私にとっても、縁もゆかりもないまちでした。もしかしたら、井崎さんが市長に就任してから十何年も前に敷いたレールの上を走っているのかもしれないですが（笑）、そういう意識はなかったです。おもしろいですね。

井崎　転入者のなかには、冗談で（稀に本気で）「井崎さんにだまされた！」なんて言う方もいらっしゃいます。流山市をより良質な住宅地、より快適なまちにするため伸びしろのたくさんある流山市を選び、年ごとに住む価値を高め、楽しいまちにしていくプロセスに、市民のみなさん自らが自主的に動いてくださることが増えていると思います。

手塚さんは「自分がやった」とアピールする方ではありませんが、市民の方は、「手塚さんの働きで目に見えるカタチでここが変わった、素敵なところができた」と認識されていると思います。しかも、手塚さんが取り組む対象はフィールドが限定されていないので時と場合を組み合わせて、多くの市民や市職員が想像もしなかったことを創りだしてしまう。市政や都市計画では計画書に書かれていることを進めていきますが、手塚さんの仕事への取り組み方や内容は既定路線にはないやり方で、しかも何かしてみたいと思っている市民を巻き込みながら、カタチにしてしまう。もう想定外の連続です！　私も時折、市長として「革新者」や「異端児」と言われることがありますが、その点は手塚さんと共通していると思います。

おもしろい発想を持っている方が「やりたいことをやってもいいんだ」「やれるんだ」と確信していただけるまちにしたい。そうすると流山ライフがもっと豊かで楽しく、素敵なまちになるのではないでしょうか。

――手塚さんが来る前には、手塚さんのように明確な目標を持って主婦に働きかけるような活動をする人はいなかったんですか？

井崎　流山市は、その時代ごとに、ライフステージに合わせて、様々な活動をされる方々に恵まれていたといえます。一例として、1986年に流山の子育て世代が「おやこ劇場」

をスタートさせ、文化的な市民活動に積極的に取り組んでおられます。我が家の子どもたちも大変お世話になりました。私が就任した17年前は団塊の世代の方々、いわば流山市民活動の第1ステージのみなさんが60代になりはじめて、今まで通りの活動が難しくなりつつありました。しかし、この10年間は第1ステージのみなさんに加え、新たに流山に縁もゆかりもなく転入してこられた方たちが瞬く間に様々な活動を始められました。今までと違ったセンスを持ち、活動範囲や分野を広げられています。流山の市民活動が第2ステージに入ったといえます。そのなかで、手塚さんはフロントランナーとなる存在。引き続き、第2ステージを引っ張ってほしいですね。

手塚　おそらくどの団体さんも「自分たちのミッションや活動を継いでくれる方を育てる」ことが継続にあたって重要なポイントになってくると思います。長く続く団体は、それができたということで、逆もしかり。企業も同じだと思います。

machiminでは、「個人がやりたいことを叶えられる空気をつくる」ことを目指しています。〝手塚さんは苦手だけどmachiminのあのスタッフさんは好き！〟〝この活動はしたいけど、この活動はしたくない〟とそれぞれがチョイスできる環境を作り、個人の生き方のロールモデルを増やしていくことが私の目指すところですね。私のやっていることを継いでくれる方を育てるのではなく、〝machiminの考え方〟に共感したいろんな方が様々にやりたいことを叶えて、まちがよくなって、それが続く仕組みにしたいと思っています。勝手に（笑）。

井崎　流山市も私も、手塚さんのようにずっと進化し続ける挑戦者でいたいですね。アメリカの経営学者レオン・メギソンが言った「この世に生き残る生き物は、力の強いものや頭のいいものではなく、変化に対応できる生き物」のようにね。市長就任直後の市役所では、課長クラスの人がいい仕事をして一度一定の仕組みができると、その人が人事異動するまでその仕組みが変えられなかった。変えると、最初の仕組みが不完全なものだったことを認めることになるという思考でした。もちろん、いまでは仕組みを作った本人が年度中に、さらに改善するということが普通になりました。最近の流山市役所は、ＡＩにとって代わられるような事務的な能力より、企画力や実践力、柔軟性を伸ばすように心掛けた研修や採用に比重を置いています。

――手塚さんのように、総合職として第一線で企画を立ててきたビジネスパーソンが〝母になり〟、地域活動に全力投球するようになることで、流山はもっと変わっていくのでしょうか？

井崎　まずは、流山市役所が、手塚さんのような方たちの思いや企画を実現できる時間や場を作り、応援できるように変わっていくこと。そうすれば、流山市はますますおもしろい魅力的なまちになります。もし変わらなければ、市政批判になったり、そのまま流山から出て行ってしまいかねません。

手塚　実は、出て行こうと思ったこともありました。でも、なぜそうしないのか。1つには家を買っちゃったからですかね（笑）。あとは、ずっとかかわっていたい方もどんどんできてきて、一瞬の気の迷いもあったけど、もっとここでこうしたいな、が次々に湧いてきちゃいますね。

不思議なのですが、自分自身のことが新聞に掲載されるなんて想像もしていなかったのに、次第にそれが当たり前になってしまう。そうすると、どんどん身の丈にあわない妄想が進んで、次は流山市役所との包括連携を結べば、やれることが増えるんじゃないかとも思えてきます。例えばある事業の指定管理者として一定の地位を得ることが、必ずしもゴールではなさそうだとも感じます。お金をもらうことは結果的に自分の自由度を下げてしまうとも言えます。

子育て世代にとっては、大人がおもしろいか否かではなくて、子どもたちが登校をしやすいか、教育のあり方があうか、そういうまちにできるか、ということもまちを選ぶ選択基準にはなりますよね。

井崎　人生、流山に住んでいて不満に思うことは、おそらく、どこに住んでいてもあると思います。データや仕組みを調べてみたら相対的に流山市の方が良かったとか。またコミュニティの繋がりが新旧、多世代に縦横にあることに気づいていただけるように努めたい。その繋がりを活かして、市民が企画や夢を自ら実現できるまちにしたいですね。

手塚　「あのまちが素敵だから引っ越す」ではなく、「自分で素敵なまちをつくりたいから引っ越す」というところにぐるっと一周して行き着きました。

「流山おおたかの森駅」前に引っ越してくることを決めたのは、「未開発でまちづくりに参加できそう」という何が起きるかわからない期待感です。でも、「流山おおたかの森駅」前も随分余白がなくなってきてしまったな…と（笑）。次に市内で引っ越すとしたら、流山市内でも緑の多い東深井エリアや江戸川台エリアに住みたいですね。「森のまちに住んでいるってこういうこと」という体験をしながら、つくる側にまわってみたいです。

「withコロナ」が父親たちのまちの出番をつくるかもしれない

井崎　このままリモートワークが普及するとTX沿線の駅近よりその先のゆったりとした「森のまち」を実感できる戸建住宅に住まわれる家庭が増えるかもしれませんね。

手塚　私も、㈱リクルートを辞めて通勤しなくなったので思うのですが、TXに乗らなくなったら生活スタイルはぐっと変わりそうですね。リモートワーカーが流山に増えて、昼間もまちに滞在するようになると、ランチタイムの経済効果があります。まちに参画する人も増えれば、まちを走ったり散策する人ももっと増えそう。

——withコロナ、afterコロナでまちのコミュニティが変わるかどうか。いい向きに取れば、リモートワークが当たり前になると、流山なら東京に長時間かけて満員電車ですり減らしていたパワーをまちに関わることに転換できるかもしれないですね。

井崎　流山の子育て中の父親たちが中心になって新しい団体が続々生まれています。父親たちも地域にかかわり、地域をおもしろく、楽しくできるようなまちづくりに参加したいという願いを可能にする時代が来たと思います。

手塚　machiminで「アーティストインレジデンス」を実施したときに、思ったことがあります。サークル活動だと継続しきれなくなって終わっちゃう。日本ペイント㈱の石川さんにも言われたのが、「東京に週5で通勤していると、まちに関わるきっかけが少ない」ということです。育休自体も、取れたり取れなかったり。という中で、自分の会社の事業としてまちの関わりしろを見つけて、自分が関わっているプロジェクトの現場に来て、「パパの会社の塗料を使っているんだよ」と子どもを抱っこしながらおっしゃっているのを見て、machiminの父親へのかかわり方はこういうものがあるんだと実感しました。また、㈱木楽舎の中野さんに出版のお話をいただいたときもそうです。「自分のまちに仕事でかかわれることが楽しみです」とmachiminのこたつで仕事をしながら、おっしゃっていました。リモートワークを経験した後、「自分の仕事と流山をかけあわせることで流山をオフィスにする」ということが増えるかもしれないなと。流山の潜在的な力を認めてもらえたら、こっちでビジネスを起こしてもらえるんじゃないかと。

井崎　10年ほど前に、アメリカの生命保険会社に勤めるアメリカ人(現在、日本国籍取得済)で人権擁護委員をしていただいているヘンリー・シールズさんが流山おおたかの森に引っ越してこられました。会社でＬＧＢＴ差別をなくす会の活動を支援されていて、２０１７年にその会と会を支援する会社のみなさんが大堀川に桜の木を15本程、植樹してくださいました。これが、流山市民の市外企業による社会貢献活動第一号だったと思います。

手塚　地域での女性の活動は全体的に幅が広いんですが、男性が参加すると、背後に組織がかかわっていることから、一気に成果物のクオリティを上げてくれますね。

井崎　そうですね。男女にかかわらず、背後にある組織の協力やノウハウを市民活動やまちづくりに活かせると質の高いまちづくりが生まれるのではないかと思います。すでにmachiminのような、日常空間でセンスの良い知的好奇心を刺激する場所があることで、まちの魅力と楽しいコミュニティの形成に大きな力を発揮して頂いていますから。

手塚　いろんな人がやれる、チャレンジできる空気っておもしろいと思います。私自身は、そのチャレンジのクオリティをある程度維持させるとか、企画にちょっと手を加えてメディアに取り上げてもらえるように調整するとか、が自分の役割かなと思っています。いろんな人がやるから偶発的にいろんなことが起こる。いかに、machiminから私の色を消していくかにこだわりたいですね。

――井崎さんは、コロナ禍を経て「まちをこうしたい」というのはありますか？

井崎　先ほどの話にも出ましたが、今までは〝住環境〟を上質にすること、住み続ける価値が高いまちにすることにこだわってきました。しかし、リモートワークが普及し、東京に毎日通うパターンが変わると、昼間も流山にいることになります。そうすると、住環境だけではなく都市としての快適な環境が大切になってきますね。さらにその快適な環境、楽しい環境づくりを市役所はもちろん、市民が企画してつくっていける、そんなまちにしたいですね。

——最後になりますが、井崎さんの政策は、行政でありながら民間のビジネス要素が強いと感じています。そんな井崎さんから見て、「株式会社流山市」についてどんな感想、イメージをお持ちでしょうか。

井崎　やっと「株式会社流山市」はマザーズに上場したところでしょうか。ひと昔前までは、説明責任を十分に果たさずに社長が判断する中小商店的組織だったのが、ようやく株式会社として上場した会社の形態になりつつあると感じています。つまり、情報公開と説明責任を果たしながら、経営戦略を推進する段階。さらに市民が職員の誰に相談したとしても、同じ高い質の対応が期待できるようにしていく必要があります。2020年3月にまとめた流山市総合計画の「市政経営の基本方針」に流山市役所の「生産性の向上と新たな付加価値の創造」を盛り込みました。「住み続ける価値の高いまち」をつくるために、ベンチャービジネスのような流山市役所を目指していきたいですね。

手塚　井崎さん、本日はありがとうございました！

井崎義治（いざきよしはる）

1954年東京生まれ。サンフランシスコ州立大大学院修了（専攻、都市地理学）後、米国の地域計画・交通計画コンサルタントに就職。1989年帰国後、住信基礎研究所で地域計画コンサルティングや都市政策研究に従事。1992年からエース総合研究所主席研究員として、エリアマーケティング、出店戦略コンサルティングに従事、また1990年から10年にわたり国際NGO MegaCities Project東京コーディネータとして世界各地の都市問題、都市政策の研究や改善事業に取り組む。2003年から流山市長。2019年の内閣府第4次少子化社会対策大綱外交策定のための検討会委員。著書に「快適都市の創造」、「大都市問題改善に向けた5つの挑戦」（ぎょうせい）、「ラスベガスの挑戦」「これから発展する街、衰退する街」（朝日ソノラマ）、「ニッポンが流山になる日」（ぎょうせい）

あとがき

ついに、あとがきになりました。始まりがあれば、必ず終わりがありますね。たくさんのことを書きながら、「この話はあとがきに書こう」と横に置いておいたことがたくさんありますが㊐、それもすべては書ききれません。「これだけは最後に書いておきたいということ」を記すのがあとがきだと聞いています。

1）あのとき上司に言われたことは、私の一部になっている

㈱リクルートで人事をしているとき、新人研修を担当していたのですが、上司がいつも言っていることがありました。「失敗するくらいの挑戦をする人を徹底的にほめろ」「失敗の量が、その人の価値や魅力にもなっていく、たくさん失敗させろ」ただただ、改善しないことによって起きる失敗は論外なのですが、挑戦しないから失敗しない人より、挑戦するから失敗する人をほめるという文化がありました。machiminにいるとき自分の口から出たその言葉を自分自身が聞いて、当時の上司に言われたことはこんなにも自分に影響を

与えていて、私の中の当たり前になっていると気づかされます。これが教育なんだろうと思うのです。machiminの様々なところにきっと、それが組み込まれています。そうして、いろんなことを教えてくれた上司たちにまた会いに行きたいです。

2）誰にも言えない愚痴、怒り、悲しみ、全てを言っていい人がいた

地域で活動していると、仕事と生活の圏内が同じであることによって、難しさを感じる側面がありました。特に、ネガティブな気持ちをどこに吐き出していいのかわからなかったのです。都内勤務の際は、通勤中にオンとオフがはっきり分かれていました。この気持ちをどこにもっていけばいいのか、と思うときいつも話を聞いてくれる人がいます。理解を示してくれるとき、聞き流されるとき、共感してくれるとき、様々ですが、なにより「言っていい」という逃げ場であってくれました。自慢したい何かがあるときも、一番初めに大声で言っていました（笑）。夜中に一杯飲みたいな…とマンションのエントランスに呼び出したこともありました。たくさん甘えさせてもらっています。

3）やめていった、やめてもらった人たちのことは、1人も忘れていない

もちろん、うまくやりたかったです。1人や2人ではないのですが、すべてに共通するのは「あなたの考えと私の考えはどう違うか」ということをうまく説明できないことで起きたと思っています。まだ言語化されていない部分がたくさんある段階では、「違う、とにかくダメだ」と拒んで終わることや押し通すことも多かったと思います。自分で自分を客観的に見て、自分の未熟さに絶望したくなるときもありますが、「何が違ったのか」に気付くきっかけとして、machiminのこだわりを言語化する機会として、どれも無駄にはしていないということを伝えたいです。やめた人から差し入れでお菓子や果物が郵送で届くことがあります。「いつまでも応援しています。スタッフのみなさんで食べてください」と手紙が添えてあったり、あえて差出人の名前がなかったり。(でも、あの人だなってわかるものです)

4) 記録しておくべきであると教えてくれた人がいた

1年目の冬、海外の方が視察にこられたとき、私にとって「通訳」だった吉田愛梨さんは、コミュニティについて研究している大学院生でした。ただそれだけの出会いだったけれど、後日いくつか私の参考になりそうなコミュニティ事例を共有してくれました。それがどれもこれも、確かに私が見本にしたいものばかりで驚きました。「成功したコミュニティを調べるときは立ち上げからたどっていくのですが、だいたい成功に10年くらいかかることが多くその時の情報は残っていないということがあります」「手塚さんに成功してほしいと思うからこそ、1年目についてはよかったら私が残しておきましょうか？　2年目以降は簡単でいいので日々記録を付けておくといいです」とアドバイスをもらいました。その通りだと思ったので、その翌月から1年目の話を吉田さんと思い出しながら7万字の1冊を半年かけて作り、そして私は毎日「日刊machimin」を書くようになりました。毎日って結構大変で、こんなこと書いてどうなるんだと思った日もありましたが、本書の執筆をサポートしてくれた丹野加奈子さんが日刊をおそらくすべて読んでくれたんだろうなという痕跡があり、教えてくれた吉田さんにも、読んでくれた丹野さんにも、言葉にしきれない気持ちがあります。

5）起業して3年が終わる

市民団体を立ち上げて赤ちゃんを抱っこし共に活動してきました。それをできたのは子どもが元気だったから、旦那さんが協力してくれたから、両親が応援してくれたから。起業して3年は、「存分に頼りながらやりたい」と宣言して、家族にたくさん目をつぶってもらっていました。そのサポートがないと頑張ること自体ができていなかったと思います。子どもが寝ているときに、子どもが起きる前に、そういう工夫では賄いきれない部分も、それをみんなでなんとかしてもらって乗り切ってきました。「こんな旦那さんいないと思う、俺は自分のことをすごいと思ってる」「いっつもピークって言ってない?」「私たちが倒れたらどうするつもりなの!?」あぁ、耳が痛い。この本は3年がちょうど終わるタイミングで出版されます。家族のおかげで、チャレンジできたんだということを、レポートとして提出したいと思います。

最後に。machiminは生命体のように、完成を目指して形を変えていきます。日々の出来事1つひとつに向き合って、目の前にいる1人ひとりと一緒に進化していきたいと思っています。だからこそ、考え方さえも日々変わっていくことがあります。「こう言ってたじゃないか」ということが出版後にあるかもしれませんが、どうぞご了承ください。こんなに変わったんだということを、一緒に楽しめると嬉しいです。

出版のお声がけを頂いたときの「本というのは著者だけで作るものではありません。著者のほかに、編集者・ライター・デザイナー・営業、もっとたくさんの人が関係して、みんなで作るものなんですよ」というのは本当でした。活動を一緒にしてきた人も含め、数えきれない程の方々に感謝します。

最後まで読んでくださったあなたにも。

参考文献：

吉田愛梨・玉野和志、２０２０、「ある社会起業家の挑戦―コミュニティ・スペースmachiminを運営する㈱WaCreationの葛藤と展望―」『人文学報』516(1)pp.49-129.

手塚純子（てづかじゅんこ）

㈱WaCreation　代表取締役社長（本社：千葉県流山市）

1983年大阪生まれ。大阪府立北野高等学校卒業後、神戸大学経営学部入学。体育会アメリカンフットボール部で組織マネジメントを実践し、人や組織のおもしろさにどっぷりはまる。ゼミは人的資源管理を専攻。新卒で㈱リクルートに入社し、営業・人事・企画を経験。ビジョン策定浸透・採用・人材育成などの分野でプロデュースを強みとする2児の母。第二子の育休中に起業。2017年6月より流山市子ども・子育て会議委員、2019年4月より国立大学法人千葉大学非常勤講師、2020年4月より千葉県立特別支援学校流山高等学園学校運営協議会委員、2020年7月より柏市教育福祉会館運営支援コーディネーター。沸点低め。矛盾しながら両立しているものに美学を感じる。生牡蠣とオムライスが好き。

もしわたしが「株式会社流山市」の人事部長だったら

発行日	2020 年 12 月 15 日
著　者	手塚純子
発行者	小黒一三
発行所	株式会社木楽舎 〒 104-0044　東京都中央区明石町 11-15 ミキジ明石町ビル　6 階 電話　03-3524-9572
印刷・製本	文唱堂印刷株式会社
編集	中野亮太（木楽舎）
執筆および編集協力	丹野加奈子
装幀・本文デザイン	次葉
イラスト	はしもとあや
校正	株式会社鷗来堂

ISBN 978-4-86324-1503